定番のコード進行で弾く
最新版 ウォーキング
ジャズライン・ベース

Jay Hungerford（ジェイ・ハンガーフォード）著・演奏

Walking
Jazz Lines
for Bass

JN121873

ATN, inc.

著者について

Jay Hungerford は南イリノイ大学の音楽教育科を卒業しました。セントルイスのミズーリ大学、セントルイス・コミュニティ・カレッジ・メラメック校、フォントボン大学で教鞭をとり、セントルイスのウェブスター大学ジャズ学部の教員を 20 年以上も務めています。現在はアメリカ西海岸の複数のバンドやジャズ・フェスティバルに参加するほか、*Herb Ellis*(gt)、*Eddie Higgins*(gt)、*Buddy Defranco*(pf)、*Roger Williams*(pf)、*Mynard Ferguson*(tp)、*Scot Hamilton*(T.sax)、*Bill Watrous*(tb)、*Carl Fontana*(tb)、*Warren Vache*(tp, cort, F.hr)、*Mike Vax*(tp)、*Bobby Shew*(tp) と共演しています。

また、セントルイス交響楽団といっしょにポップス・コンサートで演奏し、夏期には Musician of Muny Orchestra とも共演しました。他にも、多くのキリスト教に関するレコーディングで演奏しています。最近のレコーディングとして、セントルイスの 14 人のトップ・ピアニストとデュオ形式で録音した『The Key to the City』をリリースしています。また、ミズーリのメリーランド・ハイツにあるグレース教会の専属ベーシストとして演奏しています。

1964 年製の Fender Jazz Bass、ヤマハの BB5000A(5 弦)とサイレント・ベース、初期の John Juzek のアップライト・ベースを愛用しています。

日本語版に寄せて

本書は、おもしろく創意に富んだウォーキング・ベース・ラインを創り出すための参考となるでしょう。ウォーキング・ラインでコードをつないでいくことは、工夫次第で楽しいものになります。じっくりと時間をかけて、本書に掲載されているパターンを学びましょう。いくつかのラインをマスターしたら、それまでに学んだパターンを組み合わせてみましょう。これによって、自分だけのラインを創り出していることになるのです。私はこのようなレッスン方法を、初心者から上級の生徒まで用いてきました。私の生徒の何人かは、このレッスンに取り組むようになってから、*Chick Corea, Harry Connic Jr., Wynton Marsalis, Elvin Jones* をはじめとする、著名アーティストとの共演を果たしています。

Good Luck !!

Jay Hungerford

もくじ

付属 CD について

本書の付属 CD には、現在活躍しているすばらしいミュージシャンによるリズム・セクションの演奏が録音されており、一緒にプレイしながら学習することができます。

左チャンネル：ベース + ドラムス　　　　**右チャンネル：ピアノ + ドラムス**

使用例： 右チャンネルにして、プレイアロング（マイナスワン）CD と一緒に演奏する
　　　　　左チャンネルにして模範演奏を聴く、真似る

Track 9 以降のスタンダード曲は、一部を除き 2 回ずつ演奏しています。

1コーラス目： Part 3（p.71 〜）に書かれているベース・ラインが録音されている

2コーラス目： フィルや付加音（詳しくは p.48 の解説を参照）を使ったベース・ラインを
　　　　　　　インプロヴァイズしている

本書を指導者が使う場合、生徒に 2 コーラス目のベース・ラインをトランスクライブ（採譜）するように指導しましょう。トランスクライブはとても優れたイヤー・トレーニングになります。頑張って練習しましょう。毎回ホームランを打とうと無理をするよりは、まずは確実に塁に出ようとする努力を続けることです。

最後に、ピアノの *Dave Venn*，ドラムスの *Kevin Gianino*，Studio 88 のエンジニア
Dan Kury，*Betty Oliver*，*Roger Oliver* に感謝します。

Jay Hungerford

はじめに

トランペットの巨匠 *Dizzy Gillespie* は、「ベースはどんなバンドにおいても、もっとも重要な楽器だ」と言ったことがあります。ベーシストがその言葉に共感するか否かに関わらず、残念ながらベースの価値がそのように認識されることはあまりありません。ベースはクラシック，ロック，カントリー，ジャズなど、ほとんどの音楽の**ハーモニー/コード/メロディ**を支えています。もしベースがなければ、ほとんどの人はハーモニーやコードの組み立てを理解するのが難しくなるでしょう。

ベースは、コード進行に合わせて効果的なラインを創り、着実にテンポやパルスを保ち、曲のフォームも維持しなければなりません。ベーシストにはその責任があります。ソロイストやヴォーカリストは、しばしば自分がどこを演奏して（歌って）いるかベースを聴いて確認します。音を外したり、テンポがずれたりすることは誰にもありますが、どこをプレイしているか見失うことだけは避けましょう。もし見失ってしまったら、メロディを理解して他のプレイヤーとアイコンタクトをとり、音をよく聴いてきっかけをつかみ、すぐに体制を立て直します。

本書は、初級から中級レベルまでを対象にウォーキング・ベース・ラインを創ることに役立つように構成されています。私はレッスン・プランを使って、多くの生徒を教えてきました。もっともすばらしい生徒は、熟達したジャズ・ベーシストになっています。

ロックばかり弾いてきた人に「なぜウォーキング・ベースをやる必要があるのか？」と聞かれる場合もあります。なぜ、効果的なウォーキング・ベース・ラインの創り方を学ぶ必要があるのでしょうか？ ウォーキング・ベースはロック，ブルース，ラテン，ゴスペル，R&B，カントリーなどにも共通して使われます。つまり、プロ・アマチュア問わず、ウォーキング・ベースを弾けることによって、すべての音楽スタイルに親しむことができます。

より多くのジャンルのベース・ラインに対応できることは重要です。共演者に「ウォーキング・ベースを弾いて」と言われたら、「できない」と答えるより「できるよ」と言えるようにしたいでしょう。私は、**ウォーキング・ベースができるということは、ロック・ミュージックをどのようにプレイするかを知っていることよりもうまいプレイができる**と考えています。どの楽器も、演奏前に準備することが重要です。毎日規則正しい練習プログラムをこなすことも大切です。仲間といっしょにリハーサルしたり、バンド活動に励むことが重要だと言う人もいます。1日に 20 ～ 30 分だけでも、毎日練習しましょう。この日々の練習が将来とても役立ちます。もし、ポップス，ロック，ラテンなどを演奏する場合なら、バス・ドラムに合わせて時々スケールを弾くだけでバンドとひとつになる練習ができます。

リズム・セクション・プレイヤーとしてのベーシストは、ステージでソロをとる楽しみはあまり多くありません。他のメンバーがプレイをしている間も、少し離れたところに立って演奏しなくてはなりません。しかし、ベースは曲の最初から最後の音まで演奏する立場にいます。正しく準備ができていれば、ベーシストの仕事はより快適になります。

ベーシストにとって最良の音楽的興奮は、アップテンポの曲の中間部分か終盤に向かうあたりにあります。もちろん、持久力は不可欠です。① 曲を通して常に創造的でいられるか、② 最後まで弾き続けられるか、という 2 つの心配を取り除くことができると、集中力や創造性が増大することに驚くでしょう。ベースがくり出すリズムがより強力になります。

本書に掲載している各パターンは 12 キーすべてで練習しましょう。楽譜に書き直したとしても、パターンを覚えるまでくり返し練習します。12 キーのすべてを練習することは、ベースを理解するためにとても重要です。この練習はアップライト・ベースの場合フレットがないために、最初は少し大変かもしれません。しかし時間をかけて練習すれば、少しずつできるようになるはずです。心地よく弾けるようになったら、第 1 ポジション（開放弦と 4 フレットまでのフィンガリング）で練習してみましょう。アップライト・ベースは開放弦を多用するため、この練習はアップライト・ベースに転向した時に役立ちます。

私は、**ジャズだけを聴きなさい**とは決して言いません。ただし、ウォーキング・ベースを学ぶ一番よい方法はジャズを聴くということなので、少なくとも自分の CD ライブラリーにはジャズを加えるようにしましょう。時々、私の生徒が浮かない顔でレッスンに来て、「今やっていることがわからない」と深刻な悩みを伝えてくることがあります。そんな時私は「今、ジャズを聴いているか？」と尋ねると、たいていはまったく聴いていません。CD でも実際の演奏でも、音楽を聴かないかぎり楽器の練習だけしていても上達はしません。

本書に付属のマイナスワン CD を十分に活用しましょう。これは最高の練習ツールです。CD にはいろいろな使い方がありますが、ベースの音を絞って（左チャンネルをオフにして）、CD の右チャンネルといっしょに演奏するのもよいですし、また、市販されている CD 音源のベースと一緒に演奏するのもよい方法です。

くり返しになりますが、12 のキーすべてで練習することによって、自分の苦手なところが明確になります。その結果、自分にとってどのような練習が必要なのかがわかったら、決してそこから逃げずに練習しましょう。とても難しいレッスンもいくつかありますが、ゆっくり時間をかけてあせらず練習しましょう。自分が努力しただけ結果はついてきます。

Part 1

フィンガーボード上の音

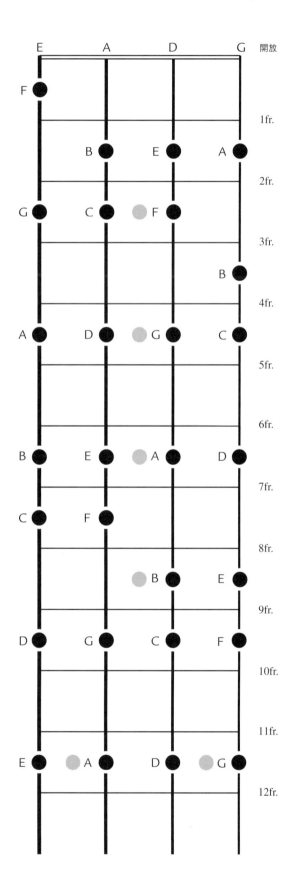

左のダイアグラムは、*ナチュラル・トーンがベースの
フィンガーボード上のどこにあるかを示しています。
実際にベースを弾いて確認してみましょう。初心者
は少なくとも毎日5分間、この練習をしましょう。

注 意：E音とF音、B音とC音の間は半音（1フレット）、
　　　残りのすべての音の間は全音（2フレット）です。

開放弦の音

五線の線上の音

五線の間の音

* natural tone：幹音。♯や♭がつかない音。ピアノの白鍵にあたる音

各弦の音と記譜音

1弦 – G

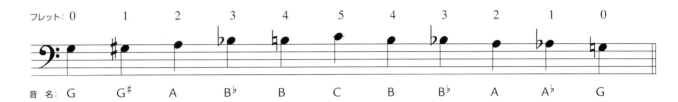

2弦 – D

3弦 – A

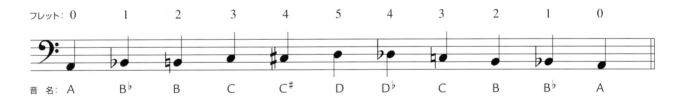

4弦 – E

基本的なインターヴァル

メジャー・スケール

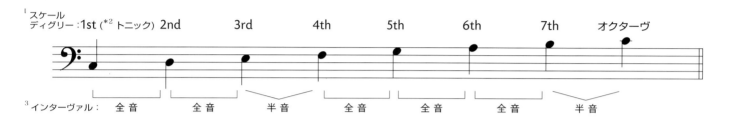

*1　scale degree：音階度数の意。スケールの各音に付けられた数字は、ディグリー（degree）を表す

*2　tonic：キー（調）の基礎となるスケールの第1音で、主音（キー・ノート）といわれる。トニックをルート（根音）とするトニック・コードの意味でも使われる

*3　interval：音程の意。音程という用語は「2音間の距離」という本来の意味だけでなく、ピッチ（pitch＝音高／絶対的な音の高さ）や、イントネーション（intonation＝相対的な音の高さ）という意味でも使用するので、混乱を避けるために本書では原語をカタカナ表記した「インターヴァル」を用いる

ベーシック・コードの構成音

コードとは、高さの異なる３音、あるいはそれ以上の音で構成される和音のことです。

トライアド（３音コード）と４音コードを学び、個々の*1 コード・シンボル（コード・ネーム）を覚えることがとても重要です。

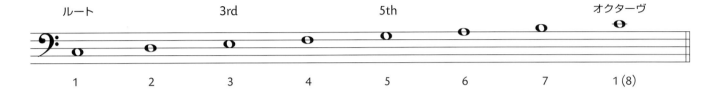

トライアドは３つの音（ルート，3rd, 5th）で構成されています。

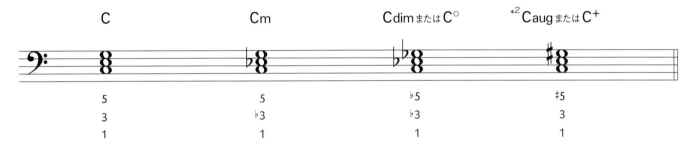

上の４つのトライアドと以下の５つの４音コードを確実に覚え、ピアノなどで弾いて実際のサウンドを確認しましょう。

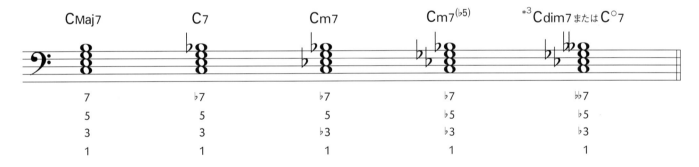

*1　chord symbol：コード・ネームを表す記号。日本では、コード・シンボルをコード・ネームと呼ぶことが多々あるが、正確にはコードを表記したものを「コード・シンボル」という。「コード・ネーム」は文字通りコードの名前（呼び方）のこと

*2　augmented chord：オーグメント・トライアドは、ルートに対して構成音が長３度のインターヴァルと３音からなるコード。Caugを転回すると同じ構成音（C - E - G♯音）をもつ Eaug, G♯aug コードになる。Caug に加えて、C♯aug（C♯ - F - A音）, Daug（D - F♯ - A音）, D♯aug（D♯ - G - B音）の４つのグループにまとめることができる

*3　diminished chord：ディミニッシュ・コードは、構成音がすべて短３度インターヴァルとなる４音で構成される。例えば、D ディミニッシュ・コードを構成音 F をルートとして転回した場合は F ディミニッシュになり、F ディミニッシュの構成音 A♭をルートとして捉えた場合は A♭ディミニッシュに、A♭ディミニッシュの構成音 B をルートと捉えると B ディミニッシュになる。この４つの Ddim, Fdim, A♭dim, Bdim コードの構成音（D - F - A♭ - B音）はすべて同じなので、機能も同じになる。ディミニッシュ・コードには Ddim に加えて、Cdim（C - E♭ - G♭ - A音）, C♯dim（C♯ - E - G - B♭音）の３つのグループにまとめることができる。ジャズでは、通常コード・シンボルに 7 が付いていない場合も（□dim, □°, □dim7）ディミニッシュ 7th コードと見なす

メジャー・スケール

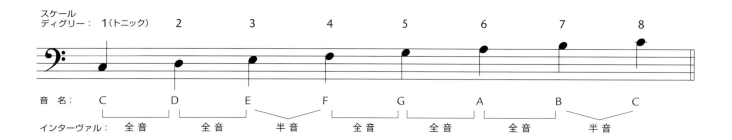

Cメジャー・スケールのC音とD音の間は全音（ホール・ステップ），E音とF音は半音（ハーフ・ステップ）など，インターヴァル（音程）を確認しながら練習しましょう。その時，スケール・ディグリーを，1，2，3（楽譜の一番上に書いてある数字でトニックの音から順番に付けられている番号，C＝1，D＝2・・・）と声を出しながら弾くとよいでしょう。

メジャー・スケールが完璧に弾けるようになったら，インターヴァルをいくつか組み合わせて，ベース・パターンを創ってみましょう。その時，自分が弾いている音の正しい名前とスケール・ディグリーを覚えて，弾きながら使っている音のディグリー（度数）とインターヴァルを確認する習慣をつけましょう。以下の ① 〜 ④ のベース・パターンの音がどのように並んでいるのかを調べます。まず，4つのパターンをくり返し弾いて，どのように組み立てられているのかを確認してみましょう。

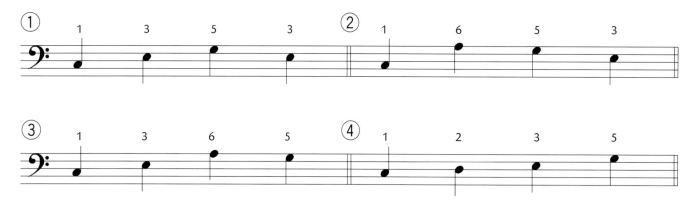

⑤ 〜 ⑧ のベース・パターンは，臨時記号のシャープやフラットによって変化した音を含んでいます。このパターンを発展させるアイディアに，各パターンの最初の音を，オクターブの2つの音から選んで始める方法があります（下の譜例には1オクターヴ内で選択できる2つの音が記譜されている）。

注　意：ベース・パターンにおいて，ハーモニー的にもリズム的にも強拍である1拍目と3拍目の後は，大きな跳躍をつけることが可能です。次のコードを感じることができるようなスムーズなベース・ラインを創るために，たいへん効果的な手法です。

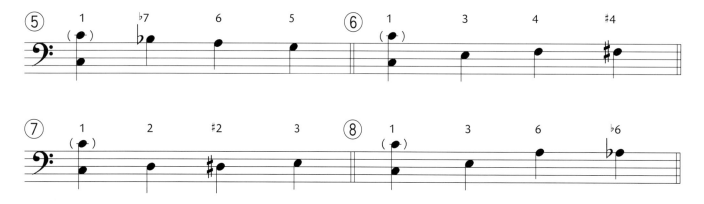

次はFとGキーの2つのメジャー・スケールを練習しましょう。このスケールを練習する時も、必ず構成音のインターヴァルと1(トニック)からのスケール・ディグリーを声に出して弾く練習をしましょう。FとGキー以外のメジャー・スケールを練習する場合も、ディグリーの数字を声に出しながら練習する習慣をつけましょう。インターヴァルとディグリーを理解することによって、移調するために楽譜を書き直さなくても理解できるようになります。この能力を身につければ、実際の仕事やリハーサルなどで貴重な時間を節約することができるでしょう。

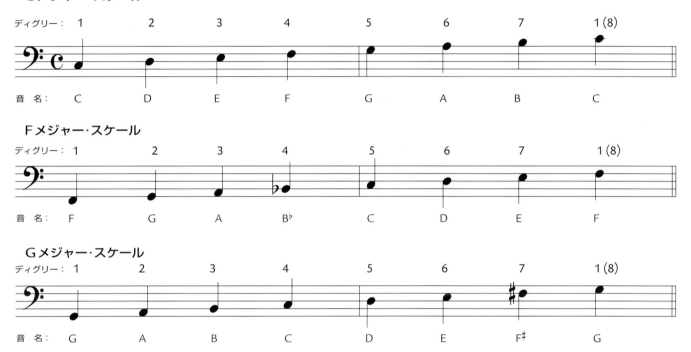

Cメジャー・スケール

ディグリー: 1　2　3　4　5　6　7　1(8)

音名: C　D　E　F　G　A　B　C

Fメジャー・スケール

ディグリー: 1　2　3　4　5　6　7　1(8)

音名: F　G　A　B♭　C　D　E　F

Gメジャー・スケール

ディグリー: 1　2　3　4　5　6　7　1(8)

音名: G　A　B　C　D　E　F#　G

最下部のコード進行でFとGキーに移調する練習をしてから、その進行に合わせて、以下の ① 〜 ⑧ のパターンを弾いてみましょう。① の 1 - 3 - 5 - 3 は、Cキーでは「C - E - G - E 音」になります。わかりにくい場合は、上のスケールの譜例で音名を確認しながら練習を進めましょう。

 Track 2 (模範演奏は ① のみ収録　② 〜 ⑧ は右チャンネルのみ使用)

① 1 - 3 - 5 - 3	② 1 - 6 - 5 - 3	③ 1 - 3 - 6 - 5	④ 1 - 2 - 3 - 5
⑤ 1 - 2 - 6 - 5	⑥ 3 - 5 - 3 - 1	⑦ 5 - 4 - 3 - 1	⑧ 3 - 6 - 5 - 1

⑨ 〜 ⑯ は変化音(シャープやフラットをつけた音)も加わるパターンです。このパターンも下のコード進行で弾いてみましょう。

 Track 3 (模範演奏は ⑨ のみ収録　⑩ 〜 ⑯ は右チャンネルのみ使用)

⑨ 1 - 2 - #2 - 3	⑩ 1 - 3 - 6 - ♭6	⑪ 1 - 3 - 4 - #4	⑫ 1 - ♭7 - 6 - 5
⑬ 1 - #1 - 2 - ♭2	⑭ 6 - ♭6 - 5 - 1	⑮ 2 - ♭2 - 1 - 5	⑯ ♭7 - 6 - ♭6 - 5

Track 2 · 3 の
コード進行

C7　　　　F7　　　　G7　　　　C7

ブルース

ブルースは音楽的なスタイルではなく、音楽のひとつのフォーム（形式）として認識することが必要です。ブルース・フォームは、通常 12 小節の長さで、AAB フォームで構成されています。現在ブルースは、ジャズ，ロック，カントリー，ゴスペルなどさまざまな音楽で使われています。ブルースのコード進行は発展しながら変化を続けていますが（p.92 〜 93 にブルースのバリエーションを掲載）、多くのブルース・バンドでは、現在でも約 100 年前から先人たちが使っていたオリジナルのコード進行を使い続けています。

まずはオリジナルのコード進行を学び、上達していくに従っていろいろなコードを加えてコード進行を変化させてみましょう。

次は、1 小節パターンを F と G キーに移調する練習です。まず、① 〜 ⑧ のディグリーとインターヴァルを覚えましょう。次に、1 つのパターンのみを取り上げ、下段の 12 小節ブルースのコード進行に従って移調し、1 コーラスずつつなげてみましょう。① はトライアドの輪郭をシンプルに描いたルート - 3rd - 5th - 3rd（1-3-5-3）です。

⑦ と ⑧ は 7 番目の音（7th）が変化して ♭7th になっている（★）ことに注意しましょう。一般的にブルースに出てくるすべてのコードには、フラット 7th の音（♭7）が多く使われます。

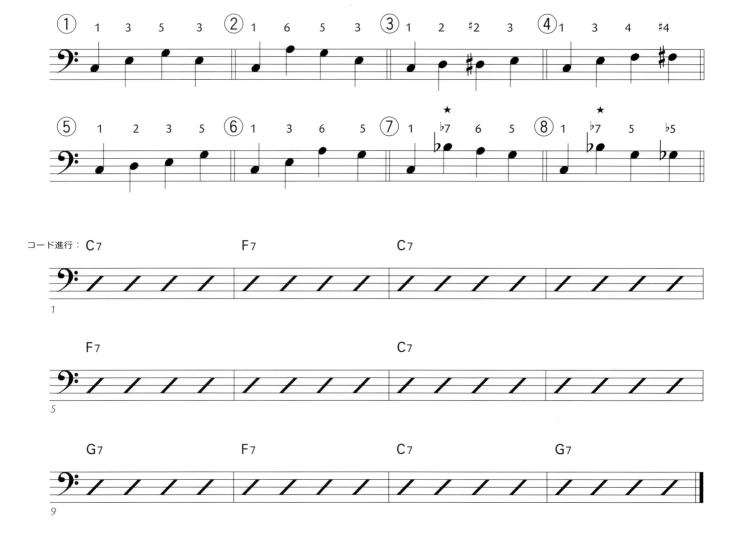

次ページに、① ② ③ をブルース・フォームに適用して移調したベース・ラインを掲載しています。

インターヴァルを伴うウォーキング

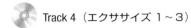 Track 4 （エクササイズ 1〜3）

エクササイズ 1 （1 - 3 - 5 - 3）

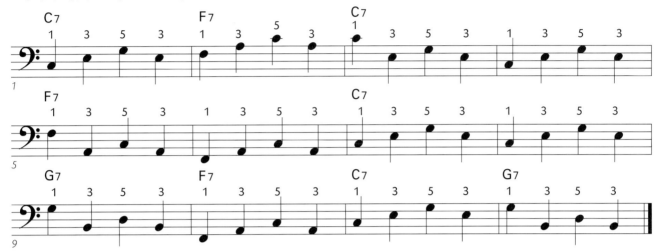

エクササイズ 2 （1 - 6 - 5 - 3）

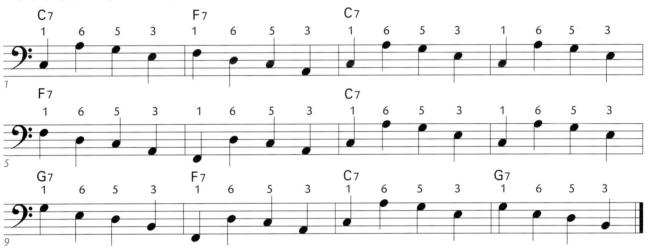

エクササイズ 3 （1 - 2 - ♯2 - 3 または 1 - 2 - ♭3 - 3 ）

このエクササイズでは代理コードとして、9 小節目の G7 のところに Dm7、10 小節目の F7 のところに G7 コードを使っています。

ブルースの２小節ウォーキング・パターン

１小節パターン

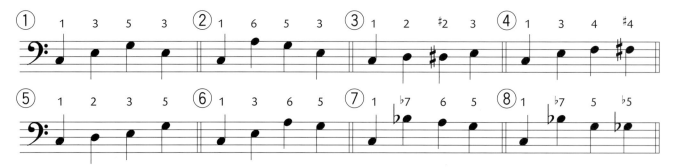

２小節パターン

２小節以上同じコードが続く時、ルートから始まるベース・パターンばかりを各小節で弾き続けたいとは思わないでしょう。そのような場合はコードでの強く感じる音（3rd, 5th）をターゲット・ノートにして、それからルートに戻ります。例えば、以下の Ⓐ ～ Ⓓ では、１拍目をルートで始め→次の小節のアタマで 5th の音に達し→ルートに戻っています。これ以外の例は、２小節のウォーキング・パターン（p.28）に掲載しています。

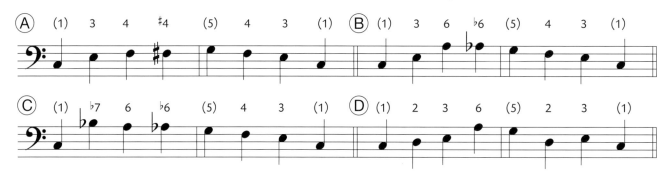

１小節パターンを１つ選び、１，２，９，10，11，12 小節目に当てはめましょう。選んだパターンは、２，10 小節目では F キーに、９，12 小節目では G キーに移調しなくてはなりません。同様に２小節パターンを３～４小節目、５～６小節目、７～８小節目に当てはめます。この場合は、５～６小節目で１回だけ F キーに移調するだけです。この練習に慣れてきたら、代理コードを使ってみましょう。Dm7 コードを９小節、G7 コードを 10 小節目に当てはめます。１小節パターンを Dm7 コードに移調する場合は、3rd の音を半音下げる必要があります。

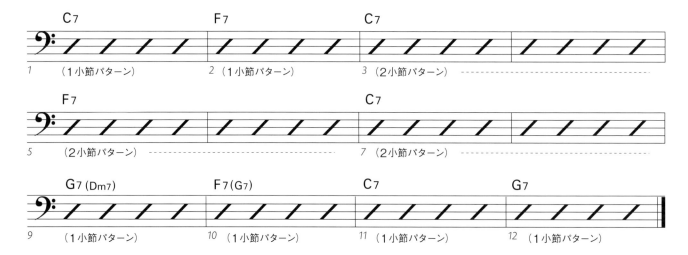

　　注　意：大きく跳躍するインターヴァルを使う時は、１拍目と２拍目の間か、３拍目と４拍目の間で行います。

1 小節と 2 小節パターンの組み合わせ

 Track 5 （ 1 ～ 3 ）

注　意：楽譜中の★記号は、オクターヴ違うルート音のバリエーションです。
2 3 の 2 小節と 11 小節の 4 拍目は、5th の音を半音上げて♭6th にしています。

1 　1 小節パターン（p.16 ①）と 2 小節パターン（p.16 Ⓐ）を組み合わせたベース・ライン

2 　1 小節パターン（p.16 ⑦）と 2 小節パターン（p.16 Ⓒ）を組み合わせたベース・ライン

3 　1 小節パターン（p.16 ⑥）と 2 小節パターン（p.16 Ⓑ）を組み合わせたベース・ライン

I-IV-I 進行のウォーキング・パターン

ブルースが短い12小節だからといって軽く見てはいけません。ブルース・フォームにはいくつかの興味深いコードの関係が含まれています。最初に2つのコード（C7とF7コード）を見てみましょう。Iコード（C7）からIVコード（F7）に、そしてIコードに戻るスムーズなベース・ラインを考えてみましょう。コードが変わる前の最後の音には通常、**ターゲット・ノート**（次のコードの最初の音など）に隣接した音を置きます。以下のベース・ライン①〜⑤の例では、ターゲット・ノートは4度上のF音になっています。1拍目か3拍目でコードが変わる場合、新しいコードに変わる前の最後の音はできるだけターゲット・ノートに近い音（全音または半音上か下の音）にすることで、スムーズに進行します。まずは、以下の例を練習しましょう。それから次ページへ進み、12のキーすべてに移調する練習をしましょう。

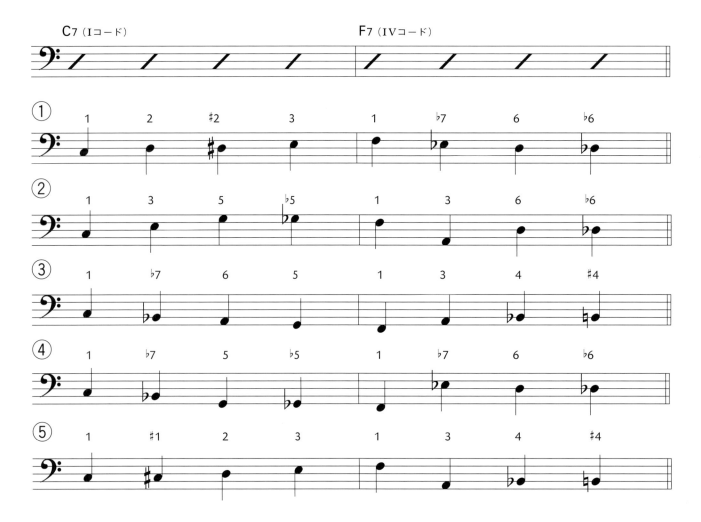

I-IV-I進行に慣れてきたら、ルート以外の音から始まるベース・ラインに挑戦しましょう。以下の2つの例は、F7コードの3rdの音から始まるベース・ラインです（ルート以外の音から始まるベース・ラインについては、後で詳しく解説します）。

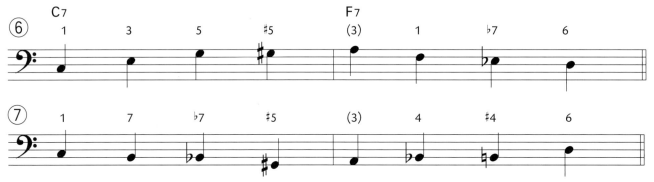

I - IV - I 進行の練習

 Track 6 （① ～ ⑥ のみ収録）

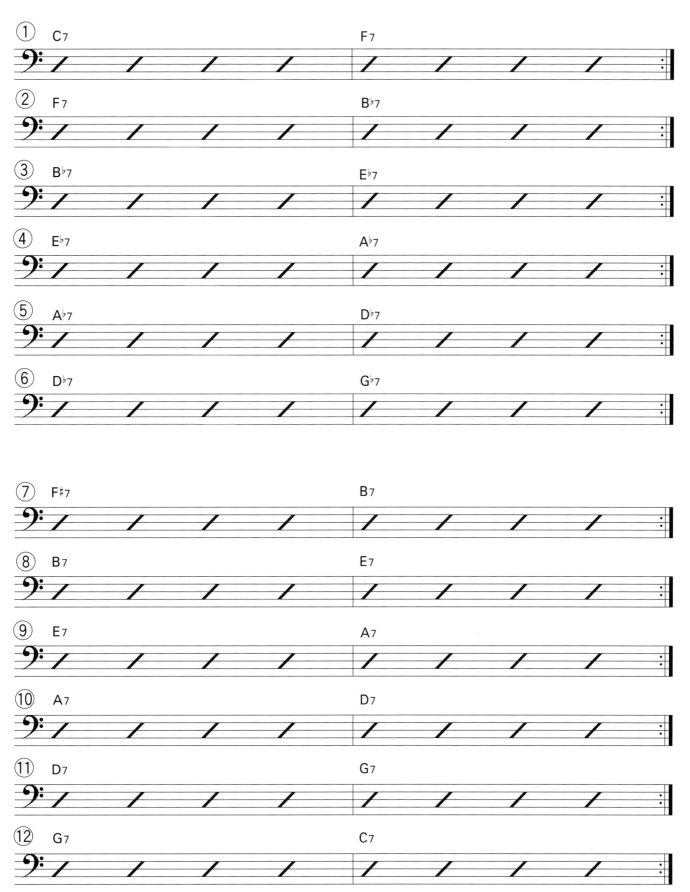

リズム・チェンジ

ビバップ時代の中でもっとも一般的なコード進行のひとつに**リズム・チェンジ**があります。*George Gershwin* の「I Got Rhythm」に基づいたコード進行のリズム・チェンジは、"リズムの変化"を意味するというよりも、２拍ずつコードが変わることが特徴です。*Sonny Rollins, Miles Davis, Charlie Parker* に代表されるプレイヤーや多くの作曲家たちが、このコード進行を用いてヘッド（メロディ）を書いています（マーク・レヴィン著「ザ・ジャズ・セオリー」Chapter 11 を参照。日本語版は ATN より出版）。**このコード進行はブルースの次に多く演奏されています。**リズム・チェンジはとても心地よく演奏でき、ブルースと同じようにコード進行に変化をつけることも可能です（p.94 〜 95 参照）。リズム・チェンジは、通常 B♭ キーで速いテンポで演奏され、AABA フォームの 32 小節で構成されています。

ここまでは１小節または２小節に１つのコードがある進行を学びましたが、次は１小節に２つのコードがある進行を練習しましょう。１・３拍目は楽譜に書いてあるコードのルートを弾き、２・４拍目は次のコードにつなげるための１音を選んで弾きます。次ページ上段の ① 〜 ④ はその例です。いずれも次のコードへとスムーズにつなげるベース・パターンで、ルート（1），3rd（3），5th（5）、および半音程（1/2ステップ）上または下から動く *パッシング・トーンを使っています。以下のベース・ラインを見てみましょう。２拍目と４拍目の（　）内のパッシング・トーンのバリエーションに注意しましょう。

次ページ下の AABA フォームの B セクション（ブリッジ）には２小節に１つの 7th コードが使われています。15 小節目から B セクションには、以下のような２小節のベース・パターンを使います。４つの２小節パターン（p.16）を移調して使いましょう。その他の２小節パターンは、**２小節のウォーキング・パターン**（p.28）に掲載しています。

p.26，27 の ii-V-I 進行上のウォーキング練習１・２は、3rd と 5th をパッシング・トーンとして使ったベース・ラインです。リズム・チェンジに慣れるために、最初の練習は、ルートをパッシング・トーンとしてくり返し使うことから始め、慣れてきたら 3rd や 5th を使ってみましょう。p.26，27 のベース・ラインを参考に、１小節に２つのコードがあるさまざまな曲でもパッシング・トーンの練習をしましょう。以下に示した例は、ii-V 進行のくり返しパターンです。この譜例のマイナー・コードには、♭7th と ♭5th の音が含まれています。5th をパッシング・トーンに選ぶ場合は、コードの構成音である ♭5th を使う必要があります。

* passing tone：経過音、パッシング・ノートとも呼ばれる。通常、２つの異なるコード・トーンをスムーズにつなげるために用いられるノン・ハーモニック・トーン（非和声音）。弱拍に置かれることが多く、半音上または下から動く音。時には半音階的に連続して使われることもある

リズム・チェンジの練習 1
（1小節に2つのコードで進行するii-V）

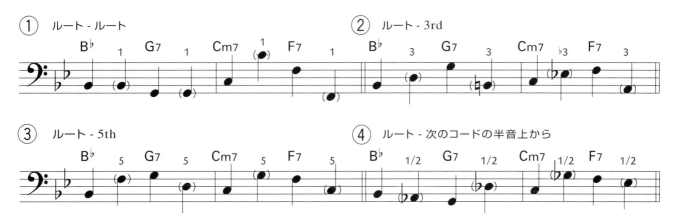

Track 7 （右チャンネルのみ使用）

　1 ～ 14 小節，25 ～ 29 小節目は，① ② ③ から1パターンのみを選択して練習しましょう。まず ① を選び，楽に弾けるようになったら、次のパターンに進みます。③ まで弾けるようになったら ④ にも挑戦してみましょう。

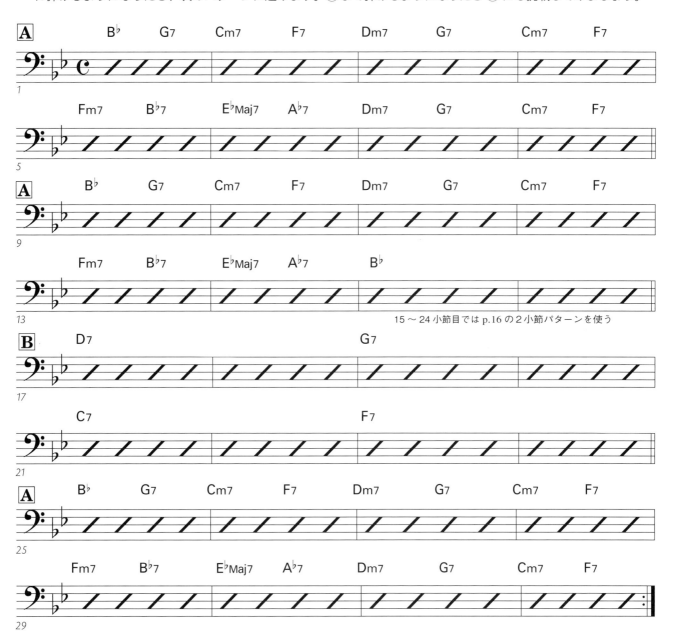

15 ～ 24 小節目では p.16 の2小節パターンを使う

リズム・チェンジの練習 2
（3rdをパッシング・トーンとして使う）

 Track 7

リズム・チェンジの練習 3
（5th をパッシング・トーンとして使う）

Track 7 （1'32" 〜）

ii - Ⅴ - Ⅰ 進行

ジャズにおけるもっとも重要なコード進行である ii-Ⅴ は、多くの曲に使われています。Ⅰコードに解決する場合もしない場合もありますが、ここではメジャー・キーの ii-Ⅴ-Ⅰ 進行を学習します。Cキーにおいて、ii コードは Dm7, Ⅴコードは G7, Ⅰコードは CMaj7 になります。

以下の ① ～ ④ は、Cキーのウォーキング・パターンです。とても覚えやすくベース・ラインを移調する時に役立つので、一度に１つずつ覚えましょう。練習には２つの方法があります。より簡単なのは、音符の下に書かれた基本的なフィンガリングに従う方法です。この方法では開放弦を使わないようにしましょう。すべてのキーで同じフィンガリングを使うことによって、フィンガーボード上で各パターンの最初の音を探すことができます。フィンガーボード上を飛び回って弾かなくてはならないかもしれませんが、この方法は、初心者がフィンガーボードのハイ・ポジションに慣れるよい練習になります。もうひとつの難しい方法では、第１ポジション（開放弦と１～４フレット）のみを使います。フレットのないアップライト・ベースは、この方法で練習しましょう。少し難しいかもしれませんが、パターンをしっかりと理解することができます。

　　注　意：大きく跳躍するインターヴァルを使う場合は、１拍目から２拍目、もしくは３拍目から４拍目にかけて行います。

ベーシストの役割は、ウォーキング・ベース・ラインを築くことによって、次のコードへスムーズに進めるようにすることです。１拍目と３拍目は、リズム的にもハーモニー的にも強拍なので、その後は異なるオクターヴへ跳躍することができます。歴史上の偉大なベーシストの演奏を聴くと、この暗黙のルールに従っていることが発見できるでしょう。ただし、ロックのベース・パターンは平行に動く傾向があるので、このルールに従う必要はありません。

　　注　意：フィンガリングの (-) は、左手のシフト（左手のポジション移動）を意味しています。

ii - V - I の練習

 Track 8（右チャンネルのみ使用）

① のパターンを習得したら、以下のコード進行に当てはめて 6 つのメジャー・キー（C → B♭ → A♭ → G♭ → E → D メジャー）で練習しましょう。キーが変わる前の小節（4，8，12，16，20 小節目）の 4 拍目は、次のキーにスムーズにつながる音を選びます。同様に、② ～ ④ も以下のコード進行に当てはめて練習しましょう。① の演奏例は次ページに、② の演奏例は p.27 に掲載しています（ベース・ラインの模範演奏は、① ② を続けて Track 8 の左チャンネルに収録）。

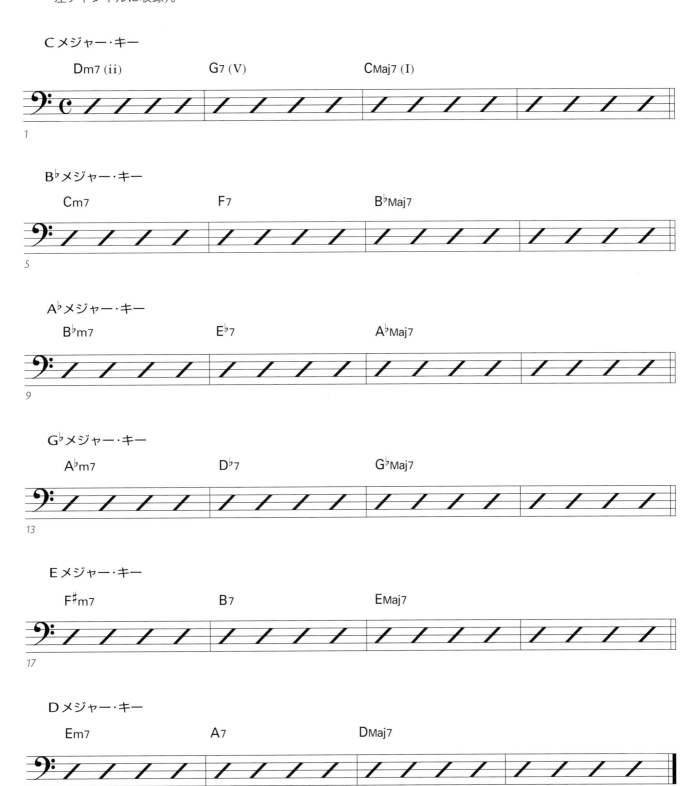

ii - V - I 進行上のウォーキング練習 1

 Track 8

以下は、p.24 ① のコード進行を、6つのメジャー・キーに当てはめたものです。自分の移調したものが正しいか
を確認するために使いましょう。音のつながりのある、なめらかなベース・ラインになるように演奏しましょう。
大きく跳躍するのは、18 小節目の 2 拍目のみです。

C メジャー・キー

B♭ メジャー・キー

A♭ メジャー・キー

G♭ メジャー・キー

E メジャー・キー

D メジャー・キー

ii-Ｖ-Ｉ進行上のウォーキング練習 2

 Track 8 （1'04" 〜）

このベース・ラインは、p.24 ② のコード進行を、6つのメジャー・キーに当てはめたものです。この練習で大きく跳躍するのは、9小節目の2拍目のみです。

Ｃメジャー・キー

Ｂ♭メジャー・キー

Ａ♭メジャー・キー

Ｇ♭メジャー・キー

Ｅメジャー・キー

Ｄメジャー・キー

２小節のウォーキング・パターン (C7)

次は、２小節またはそれ以上同じコードが続く場合のウォーキング・パターンを練習しましょう。①〜④は、これまでに学んだベース・ラインです。ここではドミナント 7th コードのベース・ラインが書かれていますが、ドミナント 7th コードの♭7th の音をメジャー 7th に変えるだけで簡単にメジャー 7th コードに対応することができます。例えば ③ ⑦ ⑯ のドミナント 7th のパターンは、♭7th をメジャー 7th (♮7th) に変えると、メジャー 7th コードのベース・ラインになります。このパターンをしっかり練習して、自分自身のベース・ラインを創る参考にしましょう。

注　意：各パターン２小節目の★記号は、次のコードにつながりやすい音を選びましょう。

スタンダード No.1

参考コード進行　*Take The A Train*

 Track 9 （右チャンネルのみ使用）

以下の有名なスタンダード進行は、ここまで練習したパターンを結びつけて復習するのに最適です。小節の下段
に参照ページが書かれているので、わからない部分は参考にしましょう。

まずは、ひとつのパターンのみを使って始め、1小節目と2小節目をプレイしましょう。メジャー 7th コード
（CMaj7）を下行する時は、♭7th を♮7th に変えます。3小節目と4小節目で同じパターンを使う場合は、コードを
全音上に移調して D7 にする必要があります。17小節目の FMaj7 コードでも、この♭7th を♮7th に変えるパター
ンを移調して使います。各パターンの最後の音は、全音または半音のインターヴァルで、次のパターンやコード
に上または下からスムーズにつながる音を選びましょう。FMaj7 から下行するパターンの場合でも、♭7th を♮7th
に変えることを忘れないようにします。5小節目と6小節目には、ii - V - I 進行の練習（p.25）が参考になります。
7小節目と8小節目には、リズム・チェンジの練習（p.20 ～ 21）で取り上げたパターンを当てはめることができま
す。CD Track 9 に収録されている演奏の一例を、p.72 に掲載しています。

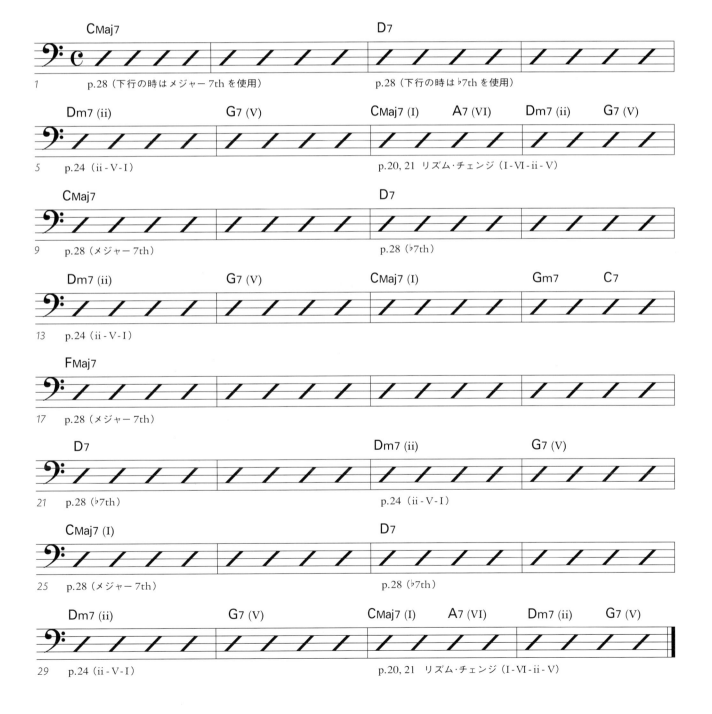

マイナー・コード上のウォーキング・パターン (Dm)

モーダル・ジャズでは、しばしば１つのコードが延々と続く場合があります。*Miles Davis* の「So What」という曲には、２種類のコード (Dm7, E♭m7) しか使われていません。１つのコードを演奏する時間が長いので、いわゆるロスト (どこを演奏しているかわからなくなる) を起こす可能性が高くなってしまいます。まず、① ～ ④ のベース・パターンを覚えるまで練習しましょう。次にベース・パターンを入れ換えます (例：「パターン ② ２小節目」と「パターン ① ２小節目」を入れ換える)。このように組み合わせを変えることで、可能性は無限になります。この練習では、２小節２拍目から始まるように置き換えをして、ベース・ラインの２拍めが跳躍するようにします。いくつかのパターンを楽譜を見ずに練習してみましょう。慣れてきたら、次ページのコード進行の中でパターンをつなぎ合わせてみます。17 小節目からは、コードが E♭m7 に変化するので半音上に移調する必要があります。CD Track 10 に収録されている演奏の一例を、p.73 に掲載しています。

スタンダード No. 2
参考コード 進行   *So What*

 Track 10 （右チャンネルのみ使用）

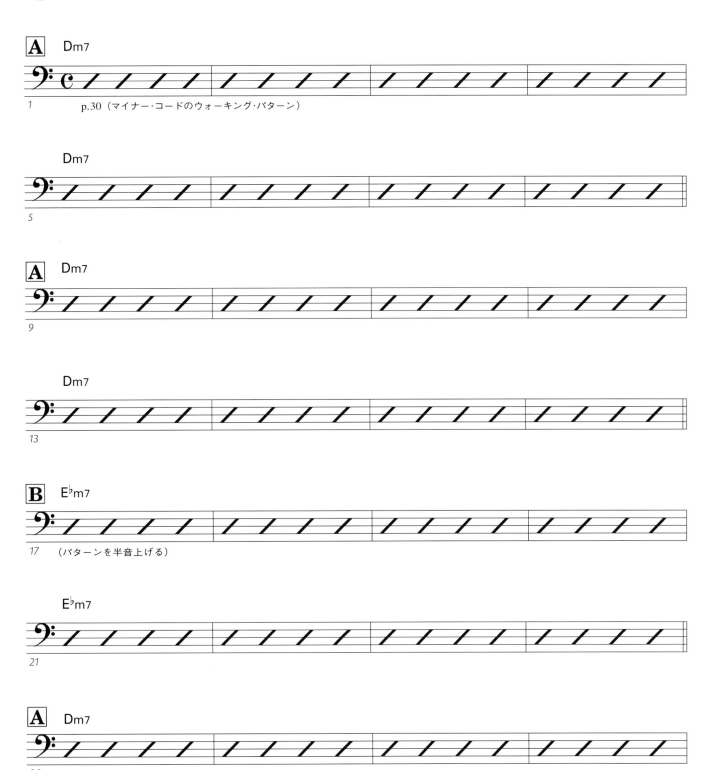

A Dm7

1   p.30（マイナー・コードのウォーキング・パターン）

Dm7

5

A Dm7

9

Dm7

13

B E♭m7

17   （パターンを半音上げる）

E♭m7

21

A Dm7

25

Dm7

29

ii - V - i 進行 (マイナー)

この練習は、もうひとつの ii - V - i フォーム (マイナー) です。ii コードには、マイナー 3rd, フラット 5th, マイナー 7th の音を含み、フラット 9th を伴うドミナント V コードに続きます。これは通常、マイナーの i コードに解決します。*Cole Porter* はこの進行をメジャーの I コードに解決して楽しんでいました。以下の譜例は、有名なジャズ・スタンダードの一部分です。ベース・ラインがマイナー 7th$^{(\flat5)}$ コードから上行する場合は、前で練習した ii - V パターン (1-2-$\flat$3-3) と同じアプローチを使用することができます。これは、第 2 音が半音高くなったロクリアン・モードに基づくロクリアン♯2 です。下行する時は、再びロクリアン・モード (1-7-$\flat$6-$\flat$5) を使います。ロクリアンは、メジャー・スケールの 7 番目の音 (C キーの場合は B 音) から始まるモードです。モードについてよくわからない場合は、p.98 メジャー・スケール上のモードの解説を参照しましょう。ロクリアン・モードに親しみ、弾きながらマイナー 7th$^{(\flat5)}$ のサウンドを実感しましょう。以下に V コード (D7$^{(\flat9)}$) の取り組み方を示しています。また、V コード (D7$^{(\flat9)}$) から i コードに下行するラインは、① ③ ⑥ の 2 小節目にあるように $\flat$6 の音を使います。

G マイナー・キー

スタンダード No. 3
参考コード進行 *Autumn Leaves*

 Track 11（右チャンネルのみ使用）

この有名なスタンダード曲のコード進行は、マイナー ii - V - i シークエンスの練習にとても適しています。1～2
小節目は p.24 メジャー・キーの ii - V - I のアイディアを参考にしましょう。4～5 小節目は新しいコード進行です。
4 小節目の数字が示すように、E♭Maj7 から Am7(♭5) にウォーキングする時は、E♭ メジャー・スケールをシンプル
に上行（1-2-3-4）または下行（1-7-6-5）するベース・ラインです。5～8 小節目と 17～20 小節目のコード進行
には、p.32 の ① ～ ④ のベース・パターンを使いましょう。13～16 小節目には ⑤ ～ ⑧ のベース・ラインがうま
く当てはまります。CD Track 11 に収録されている演奏の一例を、p.74 に掲載しています。

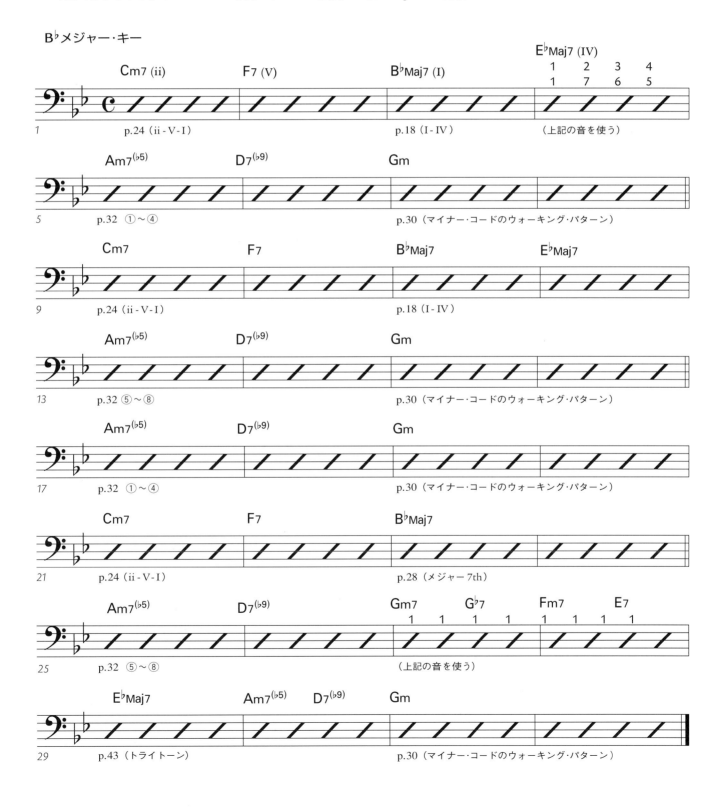

3/4拍子のウォーキング・パターン（G7）

ほとんどのスタンダード曲は4/4拍子で書かれているので、あまりなじみのない3/4拍子のウォーキング・ベースは少し難しいかもしれません。強いアフター・ビートがある4/4拍子では、手拍子やマーチング、ダンスがやりやすいでしょう。しかし3/4拍子では、リズム的・ハーモニー的に各小節の1拍目が強拍になるので、難しくなります。1拍目はコード・トーン（トライアド）から選びます。① と ② のベース・パターンは、ターゲット・ノートにルートと5thの音を選んでいます。ここではキーがGなのでターゲット・ノートはG音とD音になります。以下のウォーキング・パターンを、右ページのブルース進行に当てはめて演奏してみましょう。9〜12小節目は、パターンをCキーに移調します。

スタンダード No.4 （3/4 ブルース）

参考コード進行 *All Blues*

 Track 12 （右チャンネルのみ使用）

8小節目と12小節目では、楽譜の上に表示されている数字の音をパッシング・ノートとして使うとよいでしょう。また、17〜20小節目も表示した音を選びましょう。コード（E♭7 - D7）が半音で下行する場合のベース・パターンについては、p.42で詳しく説明します。CD Track 12に収録されている演奏の一例を、p.75に掲載しています。3/4拍子の練習の参考にしましょう。

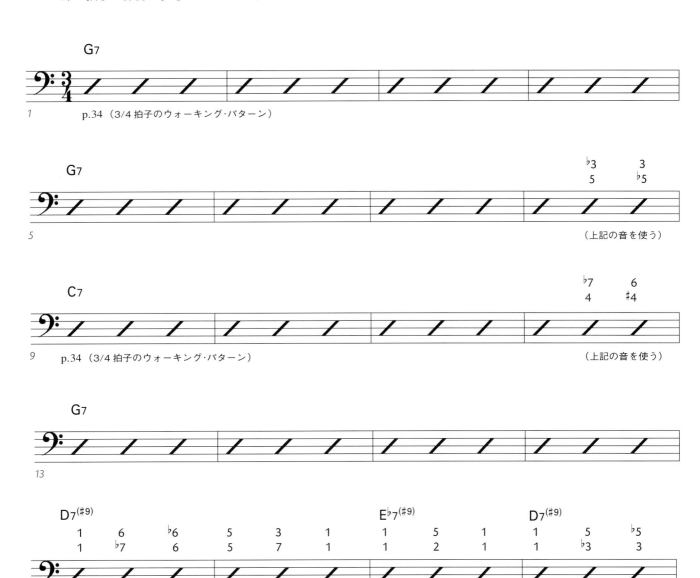

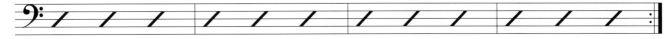

3/4 拍子のウォーキング・パターン例

「小節ごとにコードが変わる3拍子の曲でウォーキング・ベースを弾いてほしい」といわれることがあるでしょう。以下の譜例は、小節ごとにコードが変わる有名なジャズ・ワルツ曲の一部分です。（1）は1拍目にルート →2拍目に 5th → 3拍目には再びルートです。（2）は1拍目にルート→ 2拍目に 3rd → 3拍目には次のコードへきれいにつながるパッシング・トーンを選んでいます。以下の例の D7 コードと G7 コードは、5th の代わりにオーグメント 5th（増5度、aug, ♯5, +5）を使うことができます。次ページのスタンダード No. 5 では、D7 コードが Daug7（D7♯5, D7+5）に、G7 コードが Gaug7（G7♯5, G7+5）に置き換えられています。CD Track 13 に収録されている演奏の一例と、p.76 に掲載しているベース・ラインも参照しましょう。

（1）　ルート – **5th** – ルートのベース・ライン

（2）2拍目に **3rd**、3拍目にパッシング・トーン（PT）を使ったベース・ライン

（3）2拍目に **5th**、3拍目にパッシング・トーン（PT）を使ったベース・ライン

（4）小さいインターヴァルを使った直線的なベース・ライン

（5）（1）～（4）を組み合わせたベース・ライン

スタンダード **No.5**（ジャズ・ワルツ）

参考コード進行　*Someday My Prince Will Come*

 Track 13（右チャンネルのみ使用）

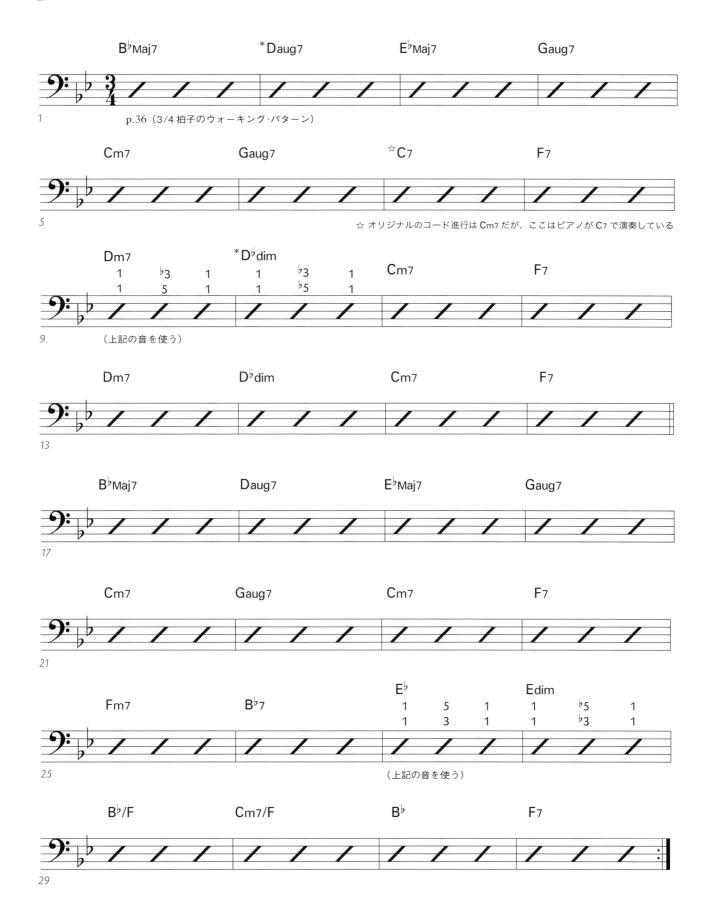

☆ オリジナルのコード進行は Cm7 だが、ここはピアノが C7 で演奏している

* オーグメント・コードおよびディミニッシュ・コードの詳細は、p.11 の脚注参照

I - vi - ii - V 進行

I - vi - ii - V も一般的なジャズのコード進行です。これは、p.20 リズム・チェンジの譜例の冒頭 2 小節にある 4 つのコード、B♭- Gm7 - Cm7 - F7（I - vi - ii - V 進行）と同じです。VI コードは、マイナーとメジャーのどちらでも演奏することができます。現在ではしばしば、メジャー VI トライアドに ♭7th やメジャー 7th を伴って演奏します。その場合は、ドミナント 7th コードを演奏します。リズム・チェンジの練習では、2 拍ごとにコードが変わる時に、どのようにパッシング・トーンを見つけるかがとても重要な課題です。以下の例でも同じ I - vi - ii - V 進行を使いますが、各コードは 1 小節に 1 つとなっています。

すでにこのコード進行をかなり練習しているはずなので、最上段の 3 ～ 4 小節目に見られる ii - V 進行にはなじんでいるでしょう。FMaj7 から Dm の I - vi 進行も、ii - V - I と同じように多くの曲で使われている重要なコード進行です。これは F キーにおける C7 から Am への V - iii 進行と似ていますが、区別して考えましょう。

① 2 小節目の下行するベース・ラインのパターンを弾く時は ♭6th の音にします。それは、F メジャー・スケールの構成音のみからなるダイアトニック・コードとして考えた場合、Dm7 は vi コードにあたるエオリアン・モード（ナチュラル・マイナー・スケール）となり、F メジャー・スケールの構成音となる ♭6th（B♭音）を使用するからです。また、ii コード（F キーでは Gm7）から下行する時は、ドリアン・モードになるため ♮6th の音（F メジャー・スケールの構成音）を使います。少し難しいかもしれませんが、実際に弾いて、サウンドを耳で覚えましょう。

上記 ① ～ ④ のベース・パターンを慣れるまでしっかり練習したら、ここでも小節を入れ換えてパターンを発展させましょう（例：「パターン ② 2 小節目」と「パターン ① 2 小節目」を入れ換える）。ベース・パターンに慣れてきたら次ページのスタンダード No. 6 のコード進行を使って演奏しましょう。19 小節目からのブリッジでは、4 つのベース・パターンを A♭ に移調します。29 小節目には新しいタイプのコード（B♭m7/A♭）が出てきます。これはスラッシュ・コードと呼ばれるもので、右側の A♭ コードのベース音上で B♭m7 コードを演奏するという意味です。CD Track 14 に収録されている演奏の一例を、p.77 に掲載しています。

スタンダード No.6 （I-vi-ii-Vを使用）

参考コード進行 *Just The Way You Look Tonight*

 Track 14 （右チャンネルのみ使用）

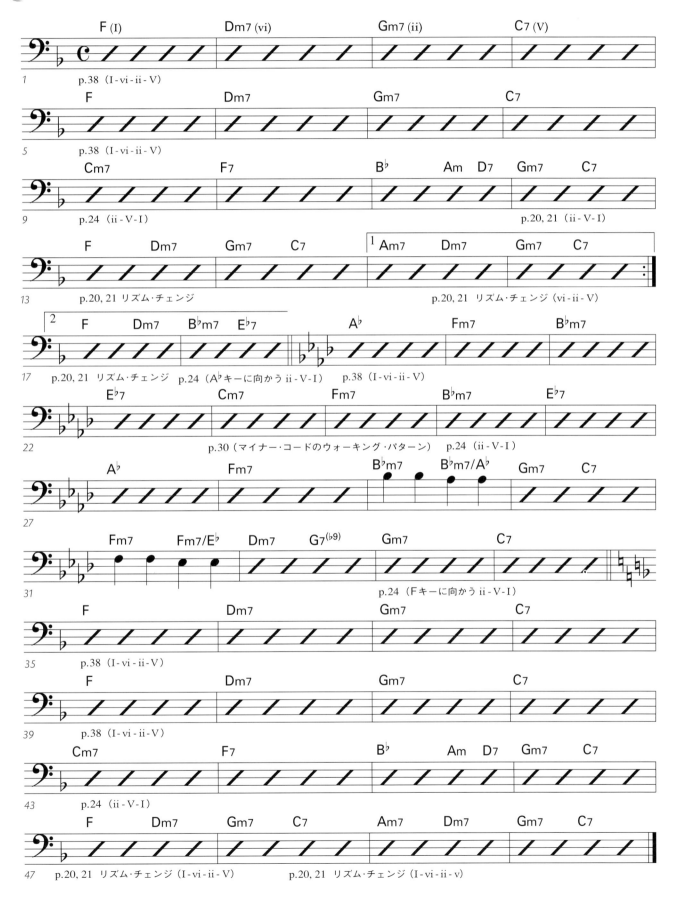

下行するマイナー進行

Cole Porter 作曲の有名なスタンダード「Night And Day」から４小節のコード進行を練習しましょう。ウォーキング・ベース・ラインは、半音で下行していくトリッキーなコード進行で組み立てられています。以下の ① と ② の例では、各小節の最初と最後の音がルートになっています。前のレッスンでも学びましたが、これは全音または半音離れたコードをつなげるための簡単で効果的な方法です。実際に弾いてみて、このアプローチがいかに心地よいかを確認しましょう。

４小節目にはディミニッシュ・コードが出てきています。ディミニッシュ・コードは、全音と半音のインターヴァルが交互に並んだ８音からなるディミニッシュ・スケールから引き出されたコードです。短３度で積み上げられた４音で構成されており、１小節だけか２拍だけに使う場合がほとんどです。ディミニッシュ・スケールを使ってウォーキング・ベースやインプロヴァイズするためには練習が必要です。

パターン ① ４小節目のラインのように、ディミニッシュ・コードをトライアドのアウトラインのみで使うのもひとつの方法です。パターン ② ③ では、ディミニッシュ・スケールの始めの３音を使い、ルートから始まりルートで終わるベース・パターンが、どのように使用されているかを示しています。

以下のベース・パターンは、次ページの９〜12小節目に使うことができます。同じようなコード進行で他のベース・パターンを試してみることは、より多くのベース・パターンを選択できることにつながります。ゆっくり時間をかけてこれらのパターンを練習します。CD Track 15 に収録されている演奏の一例を、p.78 に掲載しています。これを参考に練習しましょう。

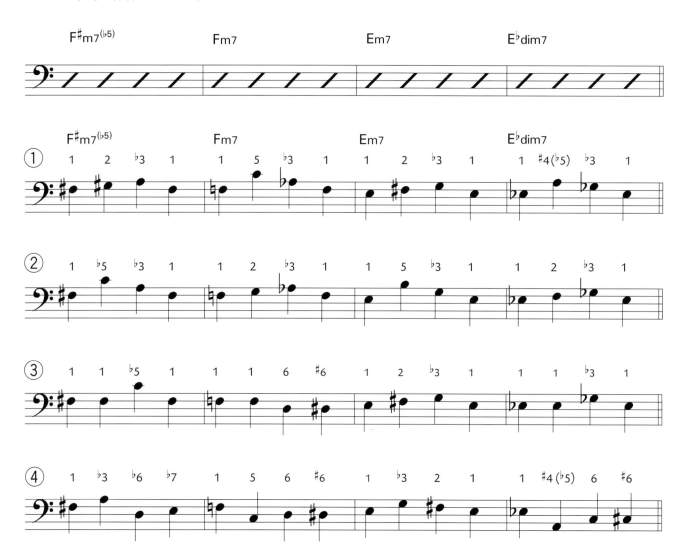

スタンダード No.7
参考コード進行 *Night And Day*

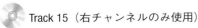 Track 15 （右チャンネルのみ使用）

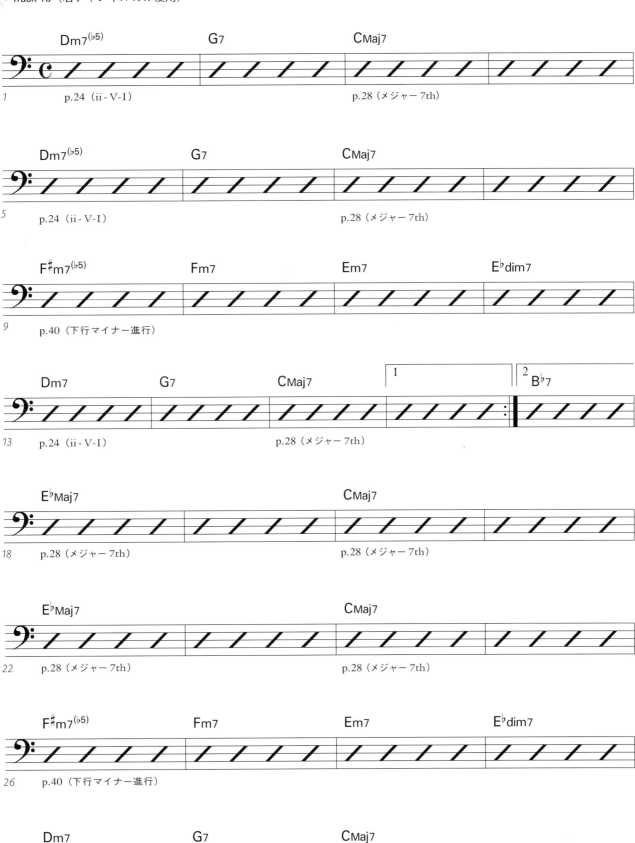

半音の動き

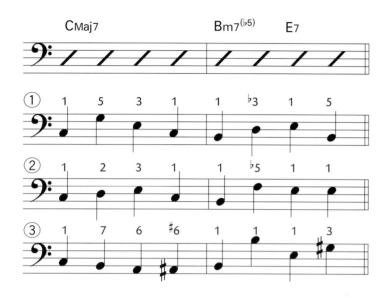

曲のコードには、かなりの頻度で半音上または半音下への進行が含まれています。① ② のように、小節の1拍目をルートで始め、4拍目をルートで終わるようにしましょう。この方法になれたら、③ 2小節目のように、p.20, 21 の**リズム・チェンジ**で学んだ半音程（クロマティック・モード）でアプローチするパッシング・トーンを使ったベース・ラインを試してみましょう。

このコード進行は「A Night In Tunisia」でも使われている、メジャー・コードからマイナー・コードに半音下行している例です。上の ① ② のように、④ ⑤ も、各小節の1拍目と4拍目がルートになるベース・ラインです。⑥ のアプローチは ①〜⑤ とは異なり、Dm の5th の音がターゲット・ノートとなって、その音から Dm のルートに下行していくベース・ラインです。

時には、リスナーの関心がベースに向けられることもあります。ベーシストの役割はソロイストをサポートするだけではなく、リスナーの関心を集めるような、クリエイティブなベース・ラインを弾くことです。創造的で興味深いベース・ラインを創りましょう。

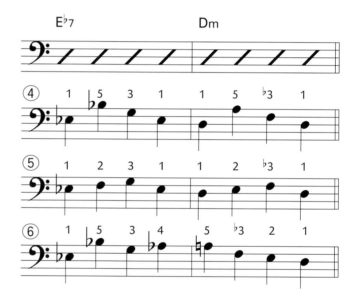

左の例は、「On Green Dolphin Street」や「Satin Doll」などにも使われているコード進行です。まず、各小節の1拍目と4拍目がルートになるベース・ラインから始めましょう。

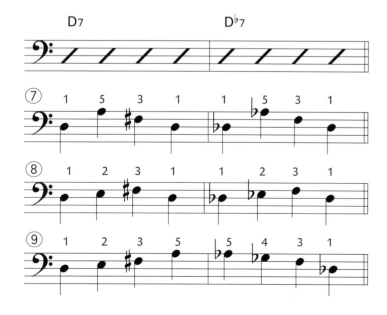

一般的でないコードの動き

この進行は G マイナー・キーの「Autumn Leaves」と同じです。Am7$^{(♭5)}$ と E♭Maj7 はトライトーンの関係（増4度／減5度）です。トライトーンを演奏するのは簡単で、この場合は E♭ スケールを上行するか下行するだけです。こうすれば、① ② のように、2小節目の A 音に正しくつながります。

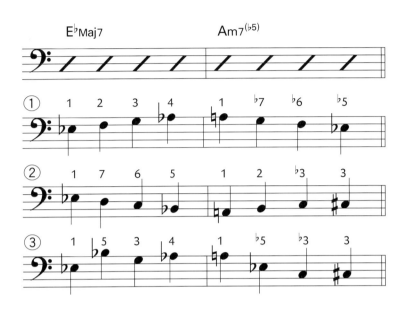

この例では全音の動きが示されています。前ページ ④ 〜 ⑥ と同様に、1小節目の最初と最後の拍にルートがくるベース・ラインです。ウォーキング・ベースに慣れていないプレイヤーでも、1小節ごとにコードが変わる場合にこの方法を使うことによって、ベース・ラインを簡単に発展させることができるでしょう。

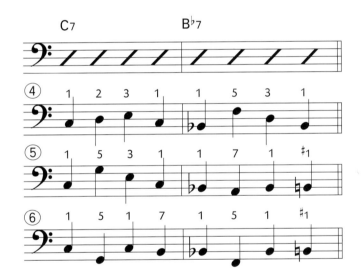

学習者が時々、この進行を同じコードが2小節続いていると勘違いしていることがあります。同じルートでメジャーからマイナーに変わることは、新しいキーに変わることを意味します。この場合は、2小節目の最初の音にルートをくり返すのが好ましいでしょう。数コーラス演奏してみるとわかりますが、最初の何回かはルートを強調することで、リスナーがコード進行になじんでいきます。この方法でベース・ラインを弾くとわかりやすいサウンドになります。最初はあまり背伸びしたプレイをしないことです。自分の確実なプレイを守りましょう。

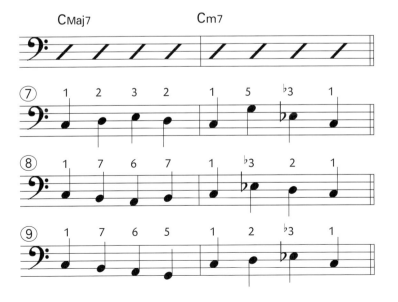

Vコード上の ii-V

1920〜30年代に作られた多くのスタンダード曲には、V-I 進行が含まれています(**ドミナント・モーション**とも呼ばれます)。そして最近の作曲家は、V コードに ii コードを加えています。ここで、ベース・ラインをさらにおもしろくするための練習です。① のコード進行は、リズム・チェンジ(p.21)のブリッジ部分(**B** セクション)です。コード進行を比較してみると、② には各 V コードの前に ii コードがつけ加えられています。この場合に注意しなければならないのは、バンドの中で毎回 ii コードを加えるのはベーシストだけかもしれないということです。まず他のリズム・セクションの音をよく聴き、演奏前に ii コードを加えるかを確認し合うことが重要です。初めて演奏するグループでも、他のメンバーのヴォイシングを聴いて、V コードの前の ii コードが使えるかを判断します。ピアニストが V コードのルートをガンガン弾いている場合、ベーシストはそれに対して ii コードを弾くかどうか、サウンドから正しく選択しましょう。

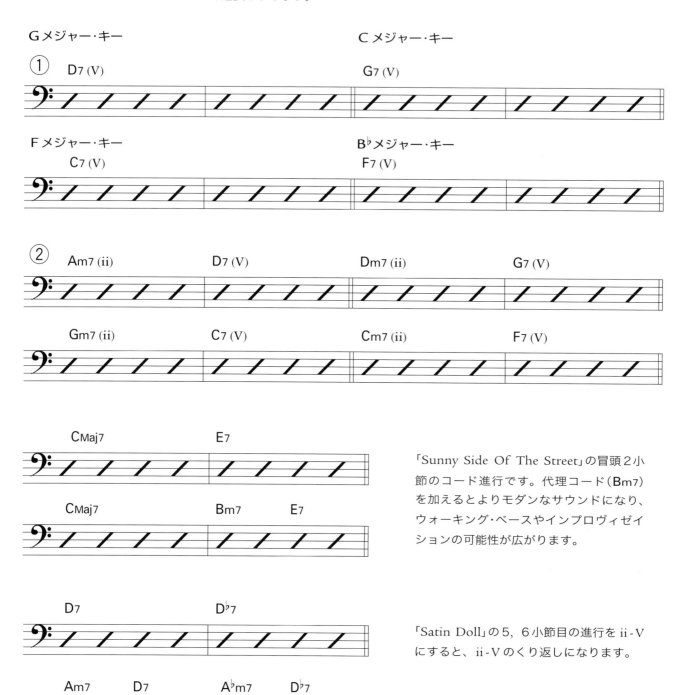

「Sunny Side Of The Street」の冒頭2小節のコード進行です。代理コード(**Bm7**)を加えるとよりモダンなサウンドになり、ウォーキング・ベースやインプロヴィゼイションの可能性が広がります。

「Satin Doll」の5, 6小節目の進行を ii-V にすると、ii-V のくり返しになります。

*__ブローイング・チェンジ__は、オリジナルのコード進行をわずかに変化させることができます。原則として、コードをリハーモナイズする時に、メロディを変えてはいけません。時々メロディにはあまりふさわしくないコードが使われていることがありますが、これらのコードは、ソロの時だけ使います。以下のコード進行は「There Is No Greater Love」の冒頭5小節です。5小節目のC7コードは変わっていませんが、アプローチが変化しています。②は半音で下行するコード進行です。③はすべてii-Vの連続を使ってC7コードにアプローチしている例です。

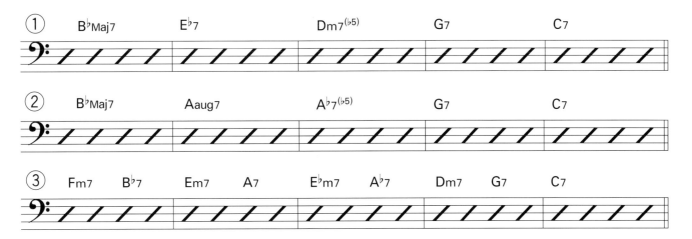

ジャズ・ミュージシャンは多くの場合、楽譜を見ながらではなく、すでに覚えているスタンダード曲を演奏しています（p.100～101の__推薦楽曲リスト__参照）。演奏中、ソロイストたちはコーラスの途中でコードを変えるかもしれません。その時ベーシストは、変化を自分の耳を使って察知し、認識しなければなりません。以下の譜例は、半音進行の一般的な代理コードで、ii-V-I進行の場合によく使われるコード進行です。このような代理コードを使ったリハーモナイゼーションをいくつか覚えていると、実際の演奏時の混乱を避けられます。多くのリズム・セクション・プレイヤーの演奏を聴いて、ボキャブラリーを増やしましょう。

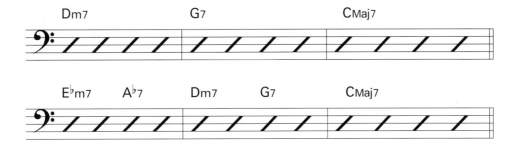

スタンダード曲の「Take The A Train」の5，6小節目にあるDm7-G7のコード進行は、半音で動くii-Vシークエンス（E♭m7-A♭7, Dm7-G7）に置き換えによって、リハーモナイズすることができます。

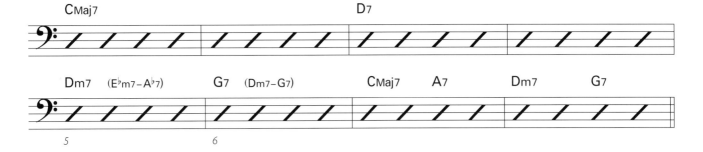

* blowing change：ソロがしやすい、インプロヴァイズしやすいコード進行のこと

ルート以外の音から始まるライン

本書のパターンをより深く理解するために、さまざまな挑戦を始めましょう。ここでは、ブルースのコード進行に楽しく魅力的なエクササイズが使われています。1拍目にルートを弾く代わりに、楽譜の上に示してある数字の音（9th、♭7th、5th、3rd）からベース・ラインを始める練習です。楽譜の上に数字が書かれていなければルートから始めます。① の3，4小節目で指定された音に置き換える時は、数拍以内にルートに戻るようにします。私の経験では、はじめの数コーラスは、1拍目にルートを弾くのがよいでしょう。楽譜の上に示した数字は、演奏で使うパターンにより多くの選択肢を与えてくれます。ソロイストは、ベース・ラインを聴いてどこを演奏しているかを確認することもあるので、あまりアウトしすぎないように演奏しましょう。

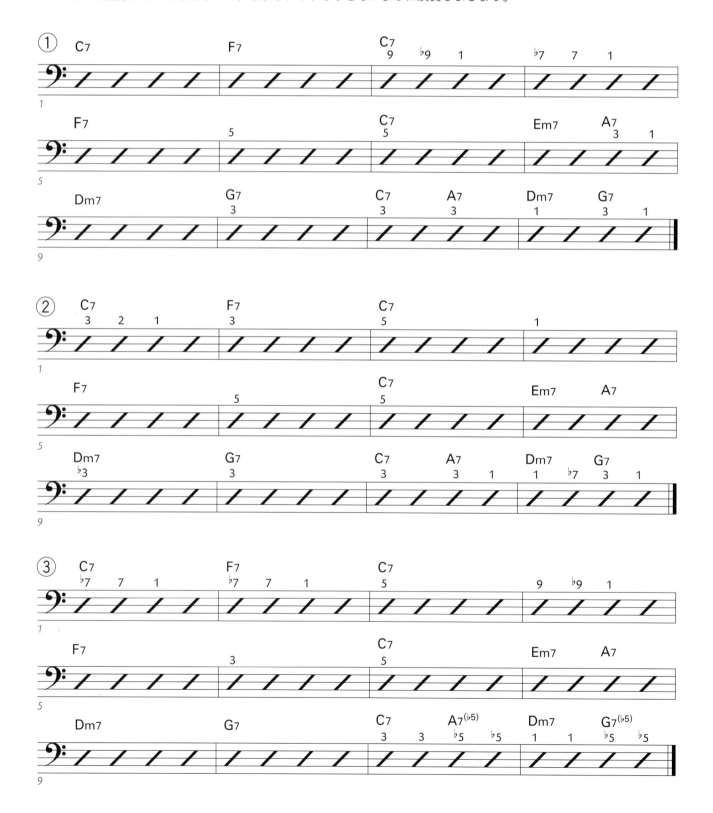

以下は、前ページ ① ～ ③ の演奏例です。自分の弾いた音と比べてみましょう。いろいろ試していくうちに、あるパターンを他のパターンより好きになるかもしれません。

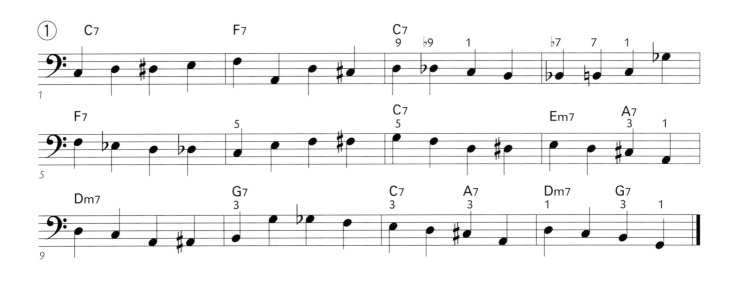

音を加える

ウォーキング・ベース・ラインをインプロヴァイズする時、4分音符のくり返しを弾いているだけでは、どのようにハーモニーを創り上げたとしても退屈な感じになってしまいます。フィルを入れたり、音を加えてリズミックな音形に変えたりすることで、ベース・ラインはとてもおもしろくなり、グルーヴも生まれます。8分音符や3連符を加えるだけでよいのです。スウィングでは、8分音符は3連フィールと解釈します。

Figure 1 の記譜は Figure 2 のように演奏すると、タイで結ばれた1つ目と2つ目の長い音と3つ目の短い音になります。テンポが速くなるにつれて、この**長 - 短**のスウィング・フィールは、徐々にイーヴン・フィールになっていきます。Figure 3 はデッド・ノート（ゴースト・ノート）のベース・テクニックで、ピッチを伴わないミュートした音をパーカッシブに出します。左手の4本の指を軽く弦の上に置き、右手で弦をピックします。Figure 4 は、3音を弾く3連のフィルで、コード・トーンを使います。コードのアルペジオを使ってウォーキング・ベースをプレイしましょう。3連符のランには多くの可能性があります。Figure 3 と 4 を続けて使ってみましょう。「どこで使わなくてはいけない」というルールはありません。楽しんで、インプロヴィゼイションにトライしてみましょう。

(1) シンプルな4分音符のウォーキング・パターン

(2) デッド・ノート（ゴースト・ノート）を加えたもの

(3) ジャズの8分音符を加えたフィル

(4) Cトライアドからのアルペジオを3連でフィル

ブルース（*Ray Brown* スタイル）

Ray Brown はウォーキング・ベースの名人といわれています。付加音の使い方がすばらしく、常に新鮮で興味深いベース・ラインです。*Ray* のプレイは、どの小節の中にもフィルが使われています。フィルの場所を注意しましょう。8分音符は3連符として解釈することを覚えておきます。多くの場合、2拍目は暗示的で、あまり強く弾くことはありません。また、独特のハーモニーにも注目しましょう。次の新しいコードへのアプローチとして、全音と半音を多用しているポイントも見逃せません。

Part 2

Part 2 は、有名な 20 のスタンダード曲のコード進行を使った練習です。これまでのレッスンでスタンダード No. 1 〜 7 の曲を練習しました。この 7 曲を選んだ理由は、とても頻繁に演奏される曲でありベーシストが最初に直面する課題を含んでいるからです。ここまでに学んだことを参考に使いましょう。わからないことがあれば、ゆっくり時間をかけて調べましょう。Part 2 のいくつかの楽譜の中には、参照ページを記載しています。ベース・パターンの練習には時間をかけましょう。よい伴奏者になる一番の近道です。ここまで見てきた通り、本書のいくつかの練習は、他の練習より努力が必要です。これは多くの曲についても同じで、とても難しいコード進行もあります。よく考えられたベース・ラインで結ばれたコードの動きは、もはやアートといえるでしょう。

Part 1 のまとめ

- メジャー 7th コードで下行するベース・ラインを弾く時、♭7th になることに注意する

- コードが C や D のように、アルファベット以外に何もついていなければメジャー 7th コードと考える

- C6 というコードでウォーキングする時はメジャー 7th と同じ扱いをする

- 同じコードが 1 小節以上連続する時は、次の小節の初めの音は 5th、またはハーモニー的に強い音で始める

- 下行するベース・ラインで ♭6th の音はパッシング・トーンとして重要な働きをする

- スタンダードのコード進行を覚える。その時ディグリー（そのコードがキーの中で何度にあたるかを数字で表したもの）を使うと覚えやすい

- メロディを覚える。著作権の関係で本書にはメロディを掲載していないが、市販の CD などを聴いて覚える。メロディはとても重要で、特にソロを始めたい人にとってとても勉強になる。また、多くのジャズ・ミュージシャンはメロディからのアイディアでインプロヴァイズすることが多い

- モード（スケール）の練習をたくさんする。本書に出てくる多くのベース・パターンはモードを基にできている

- AABA フォームの曲を演奏している時など、どこを演奏しているか理解しながら演奏する

- しっかりしたグルーヴを出すために、バックビートと呼ばれる 2 拍目／4 拍目のリズムのタイミングは特に注意する

- 装飾音符を試してみる。しかし、くれぐれも入れすぎには注意する

- 大きく跳躍するインターヴァルを使う場合は、1 拍目から 2 拍目、もしくは 3 拍目から 4 拍目にかけて行う

- 多くの学校や楽器店で教えている指導者はロック系の人が多い。ジャズ・ベースをしっかり学ぶためにも、ジャズの経験がある先生を見つけるとよい

- できるだけ多くの異なるタイプのベーシストの演奏を聴く。レコードや CD に合わせて練習することはとてもよい練習になる

- 熱心に学ぼうとする友人を見つけて一緒に練習することはとても大事である。また頭を使うのと同じぐらい耳を使おう。本書に出てくるベース・パターンはベーシストにとって始まりで、これらのパターンは耳をよくするためにも考えられている。本書の練習を心地よく思えるようになったら、実際の演奏に積極的に取り入れてみる

練習のプログラムを作る

毎日の練習プログラムを作ることはとても重要です。練習プログラムは、大きく 2 つに分けられます。

1 つ目のプログラムは、ウォームアップを兼ねて、本書の最後にあるダイアトニック・スケールを練習します初めはゆっくりしたテンポで、徐々にテンポを上げていきます。ダイアトニック・スケールやモードが理解できたら、次はスケールを組み合わせいくつかのパターンとして練習します。さらにそのパターンを楽譜に書き出し、12 のキーで練習しましょう。

2 つ目のプログラムは、ウォーキング・ベースの練習です。もし読譜が苦手ならインターヴァル（数字）で考えましょう。それぞれのパターンを何回も練習します。その後本を見ずに、覚えたパターンを何回か練習しましょう。パターンを覚えたりインターヴァルを使うことで、ベース・パターンの移調が楽にできるようになります。付属 CD といっしょに練習する時は、自分のベース・パターンとコード・ストラクチャーがどのようにフィットしているかを聴きましょう。インターヴァルを使って考える習慣をつけると、ギグやリハーサル・スタジオで、キーが変わるたびに楽譜を書き直しをしなくてすむので、時間の節約になります。

スタンダード No.1
参考コード進行 *Take The A Train*

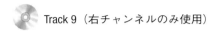 Track 9 （右チャンネルのみ使用）

演奏例の楽譜は p.72 に掲載

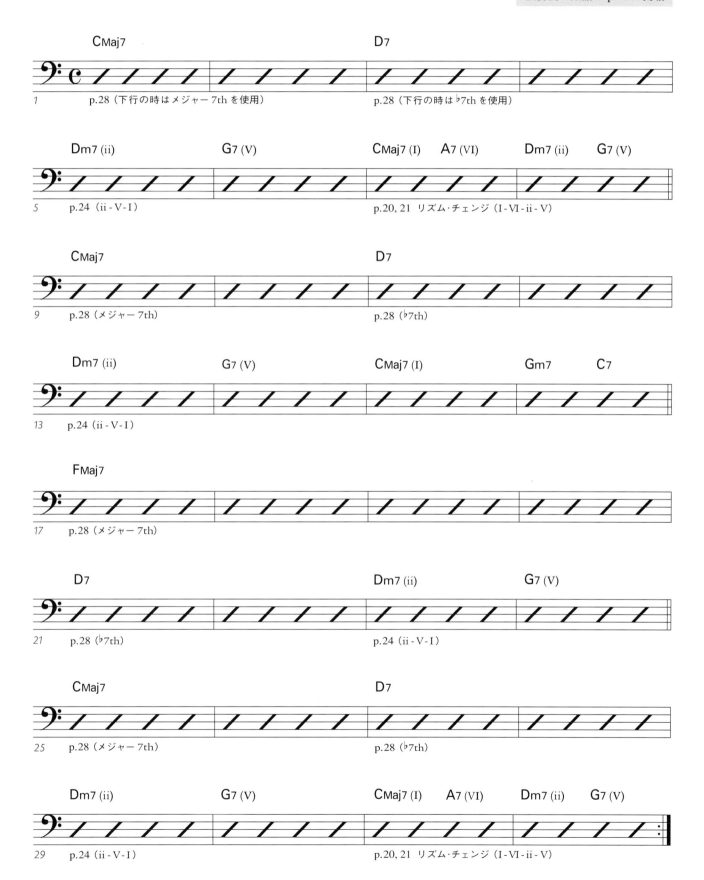

スタンダード No.2

参考コード 進行 *So What*

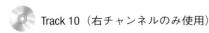 Track 10 （右チャンネルのみ使用）

演奏例の楽譜は p.73 に掲載

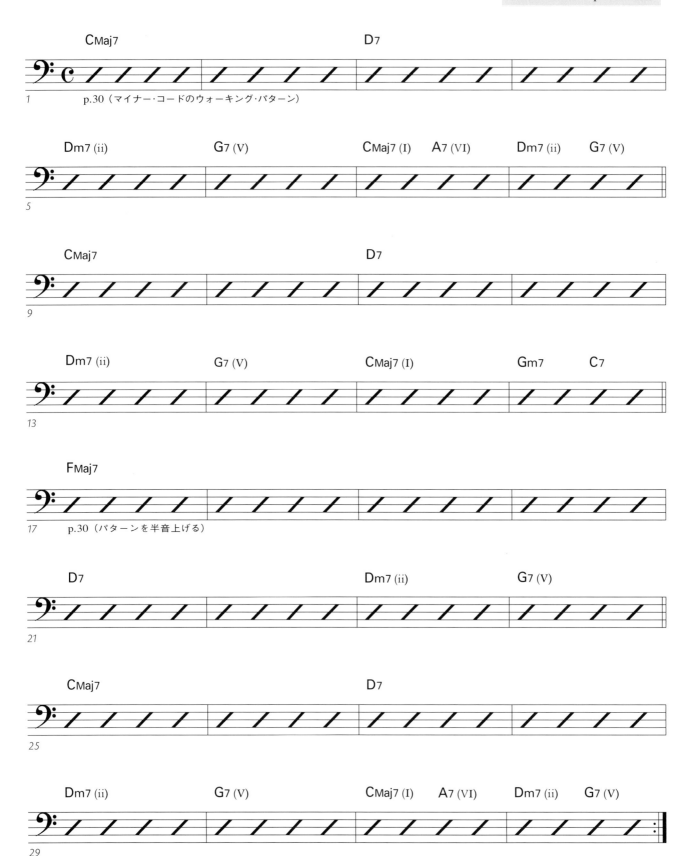

スタンダード No.3
参考コード進行 *Autumn Leaves*

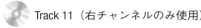 Track 11 （右チャンネルのみ使用）

演奏例の楽譜は p.74 に掲載

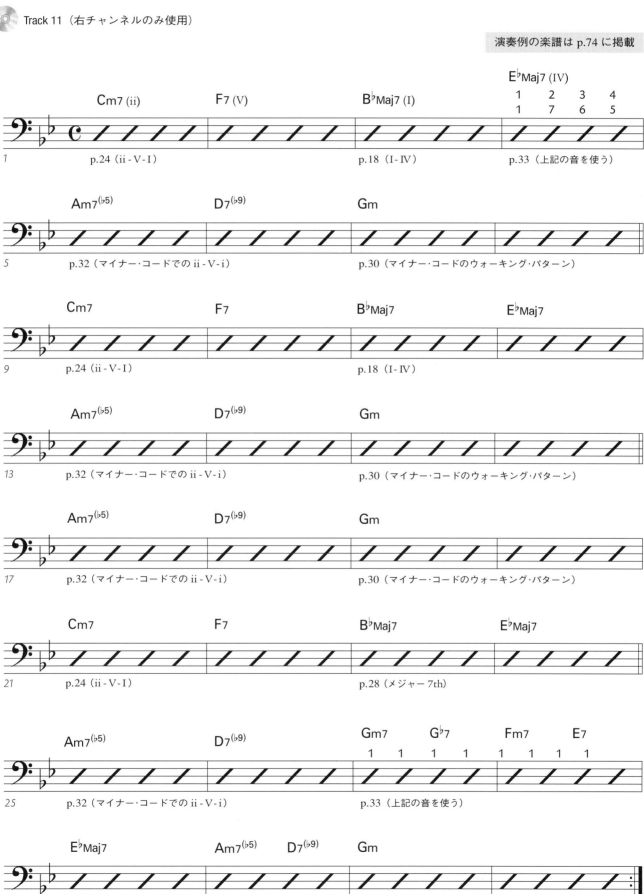

スタンダード No.4 （3/4 ブルース）

参考コード 進行 *All Blues*

Track 12 （右チャンネルのみ使用）

演奏例の楽譜は p.75 に掲載

G7

1　　　p.34（3/4 拍子のウォーキング・パターン）

G7

5　　　　　　　　　　　　　　　　　　　　　　　　　　　　　　　p.35（上記の音を使う）

C7

9　　　p.34（3/4 拍子のウォーキング・パターン）　　　　　　　　　p.35（上記の音を使う）

G7

13

D7(#9)　　　　　　　　　　　　　　　E♭7(#9)　　　　　　D7(#9)

17　　　p.35（上記の音を使う）

G7

21

スタンダード **No.5**（ジャズ・ワルツ）

参考コード進行 *Someday My Prince Will Come*

 Track 13（右チャンネルのみ使用）

演奏例の楽譜は p.76 に掲載

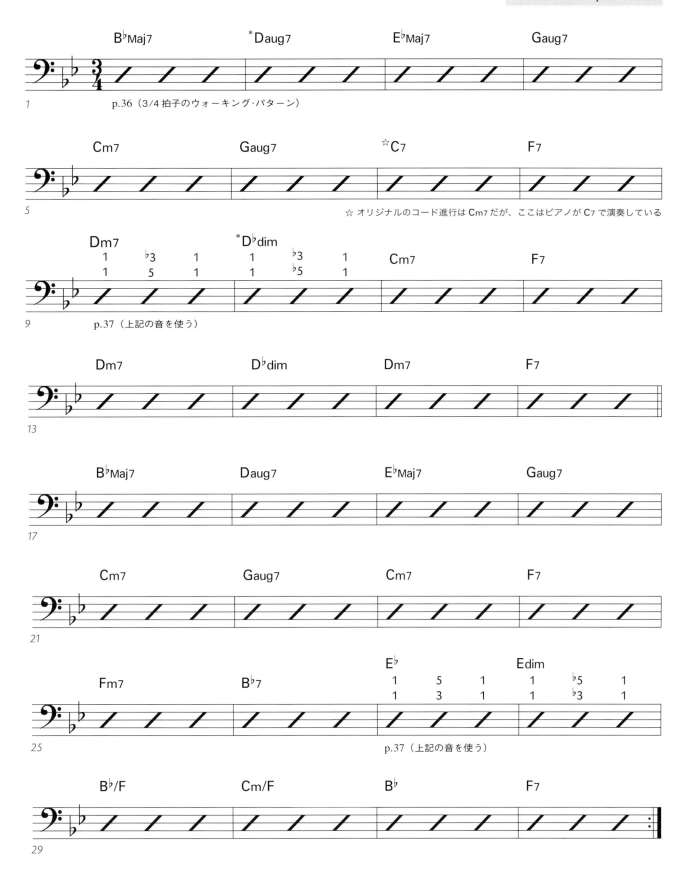

* オーグメント・コードおよびディミニッシュ・コードの詳細は、p.11 の脚注参照

スタンダード No.6 （I-vi-ii-Vを使用）
参考コード進行 *Just The Way You Look Tonight*

Track 14 （右チャンネルのみ使用）

演奏例の楽譜は p.77 に掲載

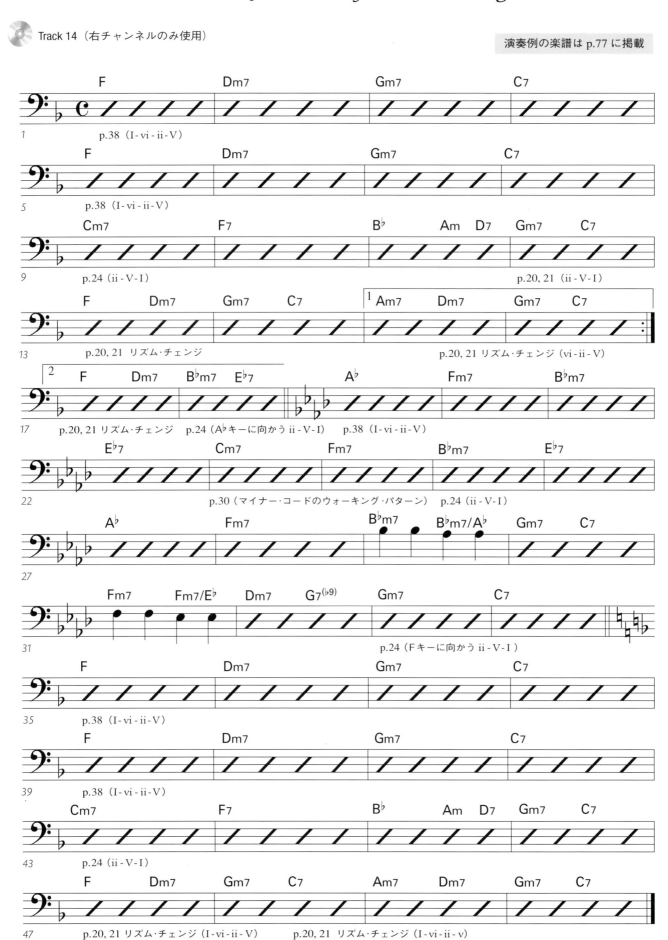

スタンダード No. 7
参考コード進行 *Night And Day*

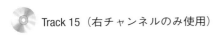 Track 15（右チャンネルのみ使用）

演奏例の楽譜は p.78 に掲載

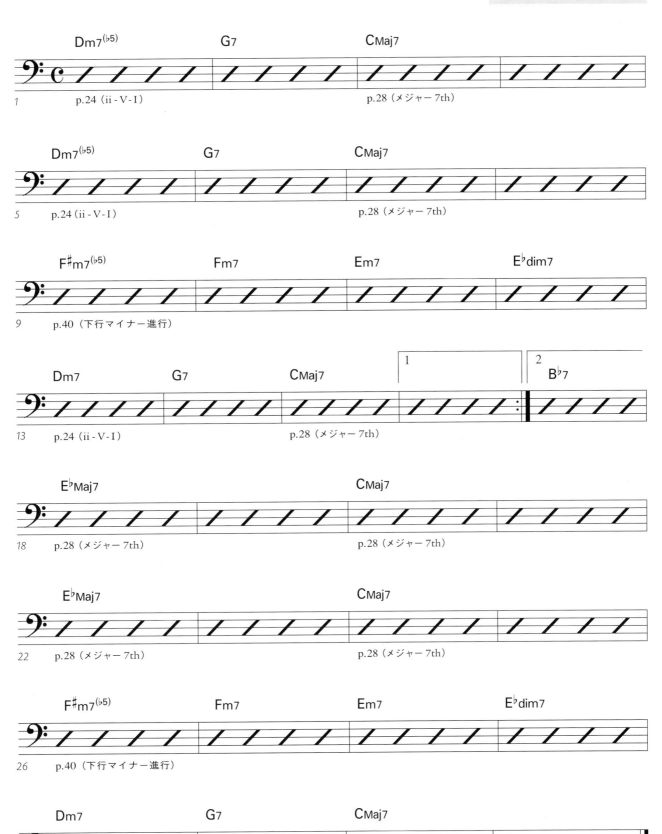

スタンダード No.8
参考コード 進行 *All Of Me*

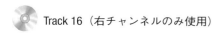 Track 16（右チャンネルのみ使用）

演奏例の楽譜は p.79 に掲載

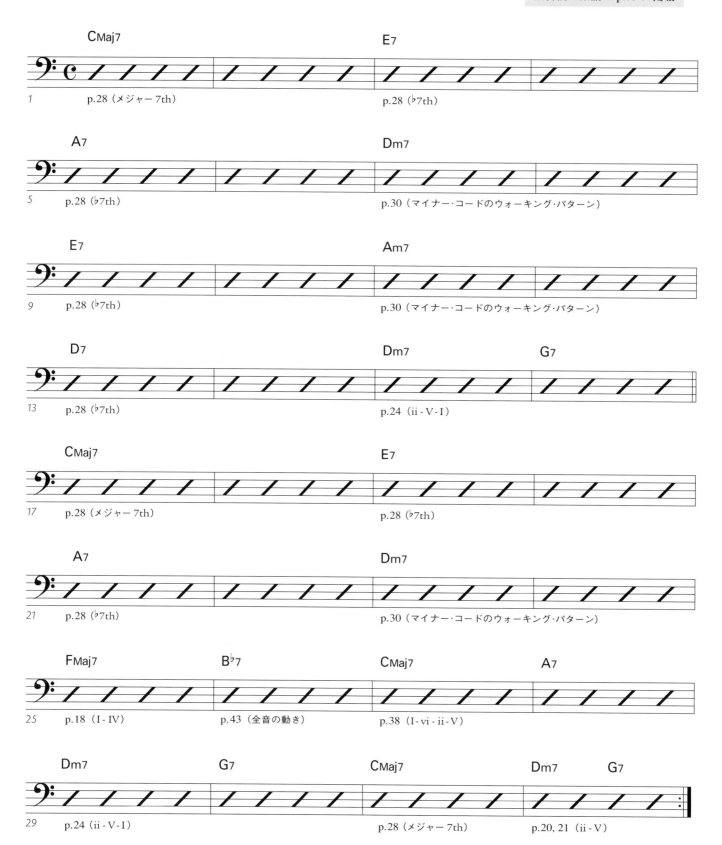

スタンダード No.9
参考コード 進行 *Satin Doll*

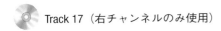 Track 17（右チャンネルのみ使用）

演奏例の楽譜は p.80 に掲載

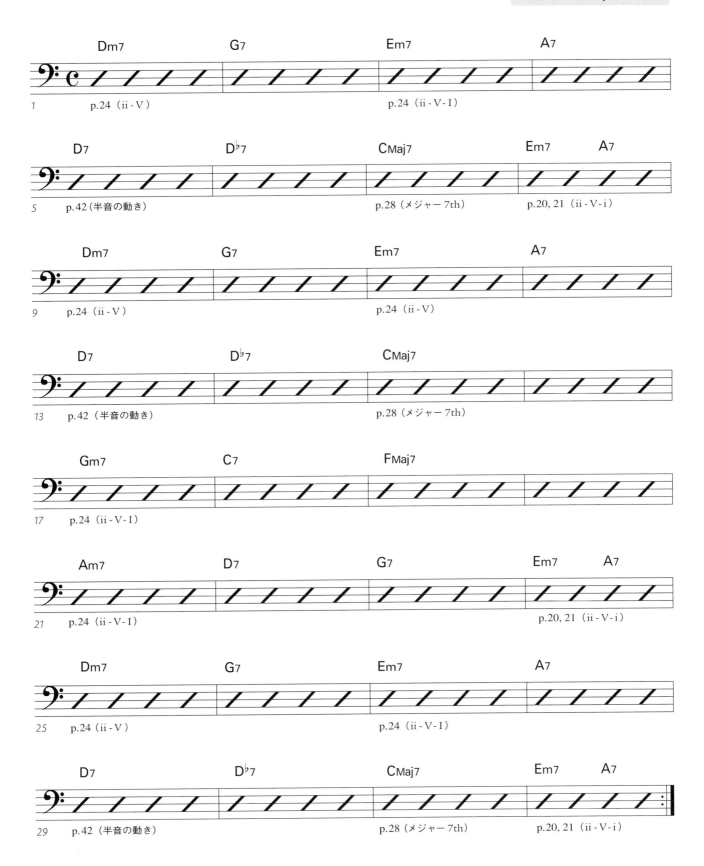

1　p.24（ii - V）　　　　　p.24（ii - V - I）

5　p.42（半音の動き）　　　p.28（メジャー 7th）　　p.20, 21（ii - V - i）

9　p.24（ii - V）　　　　　p.24（ii - V）

13　p.42（半音の動き）　　　p.28（メジャー 7th）

17　p.24（ii - V - I）

21　p.24（ii - V - I）　　　　　　　　　　　　　p.20, 21（ii - V - i）

25　p.24（ii - V）　　　　　p.24（ii - V - I）

29　p.42（半音の動き）　　　p.28（メジャー 7th）　　p.20, 21（ii - V - i）

スタンダード No.10
参考コード進行　*How High The Moon / Ornithology*

Track 18（右チャンネルのみ使用）

演奏例の楽譜は p.81 に掲載

スタンダード No.11
参考コード進行 *Out Of Nowhere*

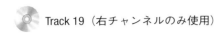 Track 19（右チャンネルのみ使用）

演奏例の楽譜は p.82 に掲載

スタンダード No.12
参考コード進行　*Days Of Wine And Roses*

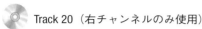 Track 20（右チャンネルのみ使用）

演奏例の楽譜は p.83 に掲載

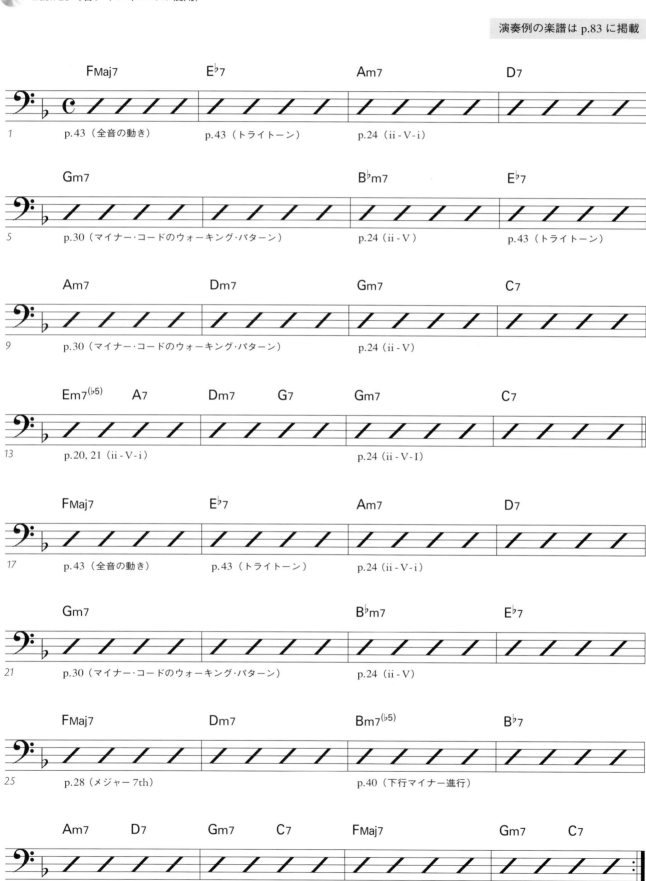

スタンダード No.13

参考コード進行 *All The Things You Are*

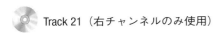 Track 21 （右チャンネルのみ使用）

演奏例の楽譜は p.84 に掲載

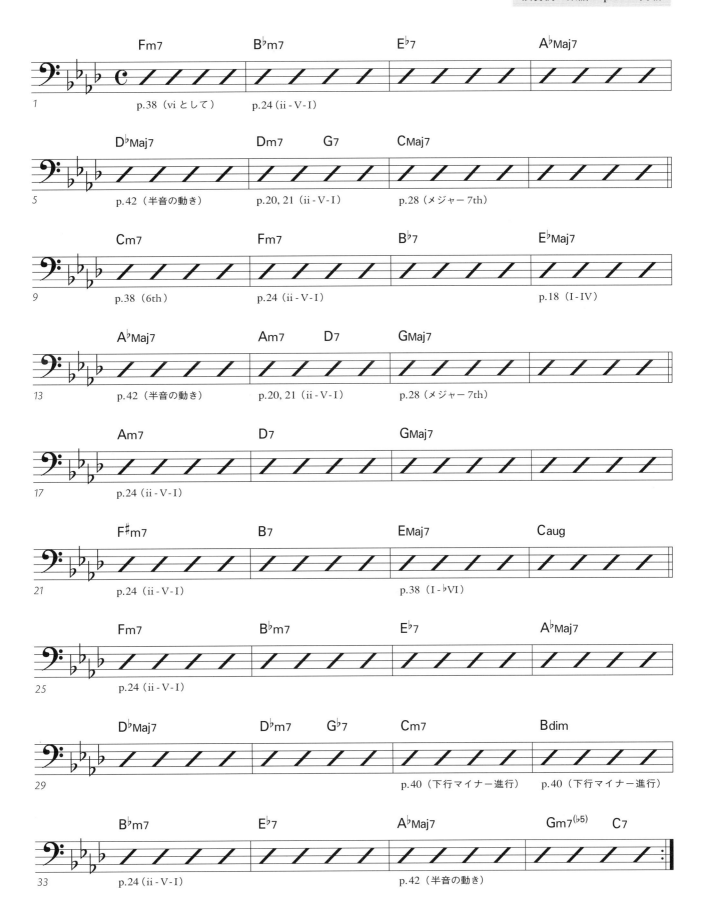

1 Fm7 / B♭m7 / E♭7 / A♭Maj7
p.38（vi として） p.24（ii‑V‑I）

5 D♭Maj7 / Dm7 G7 / CMaj7
p.42（半音の動き） p.20, 21（ii‑V‑I） p.28（メジャー7th）

9 Cm7 / Fm7 / B♭7 / E♭Maj7
p.38（6th） p.24（ii‑V‑I） p.18（I‑IV）

13 A♭Maj7 / Am7 D7 / GMaj7 /
p.42（半音の動き） p.20, 21（ii‑V‑I） p.28（メジャー7th）

17 Am7 / D7 / GMaj7 /
p.24（ii‑V‑I）

21 F♯m7 / B7 / EMaj7 / Caug
p.24（ii‑V‑I） p.38（I‑♭VI）

25 Fm7 / B♭m7 / E♭7 / A♭Maj7
p.24（ii‑V‑I）

29 D♭Maj7 / D♭m7 G♭7 / Cm7 / Bdim
p.40（下行マイナー進行） p.40（下行マイナー進行）

33 B♭m7 / E♭7 / A♭Maj7 / Gm7(♭5) C7
p.24（ii‑V‑I） p.42（半音の動き）

スタンダード No. 14

参考コード進行　*Donna Lee / Indiana*

 Track 22（右チャンネルのみ使用）

演奏例の楽譜は p.85 に掲載

スタンダード No.15
参考コード進行 *There Will Never Be Another You*

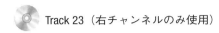 Track 23 （右チャンネルのみ使用）

演奏例の楽譜は p.86 に掲載

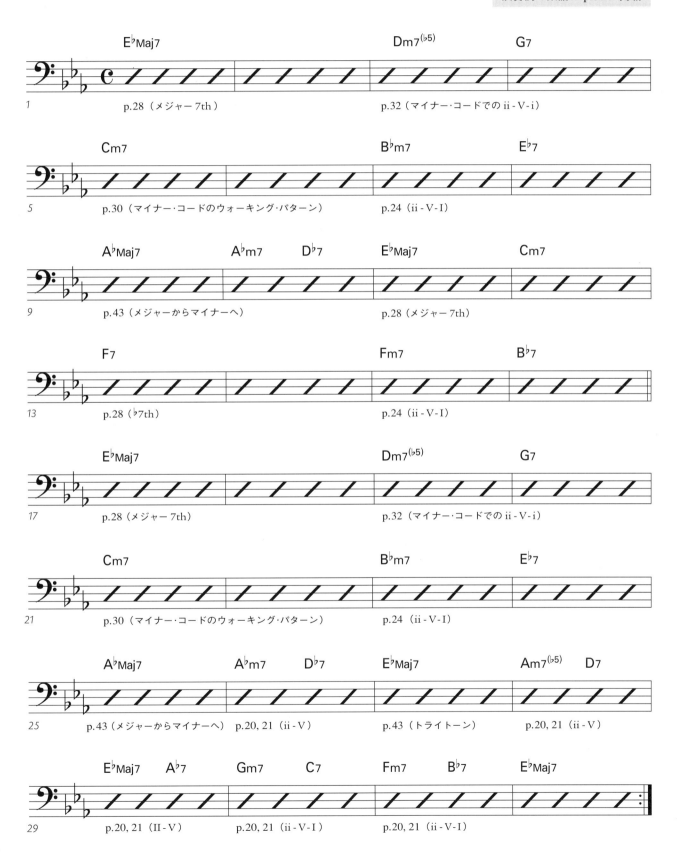

スタンダード No.16
参考コード進行 *What Is This Thing Called Love*

 Track 24 （右チャンネルのみ使用）

演奏例の楽譜は p.87 に掲載

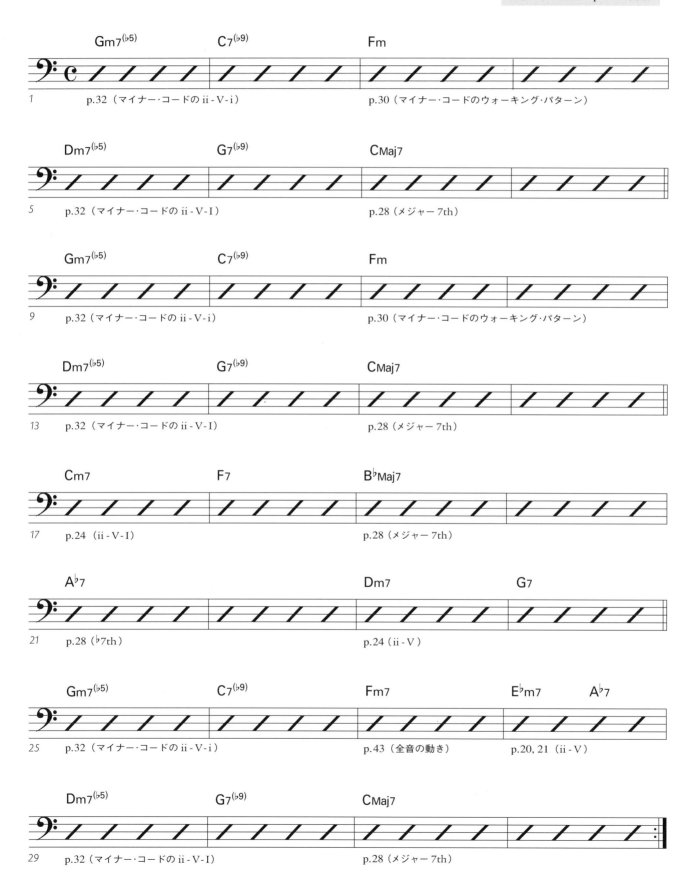

スタンダード No.17

参考コード進行　*Stella By Starlight*

 Track 25（右チャンネルのみ使用）

演奏例の楽譜は p.88 に掲載

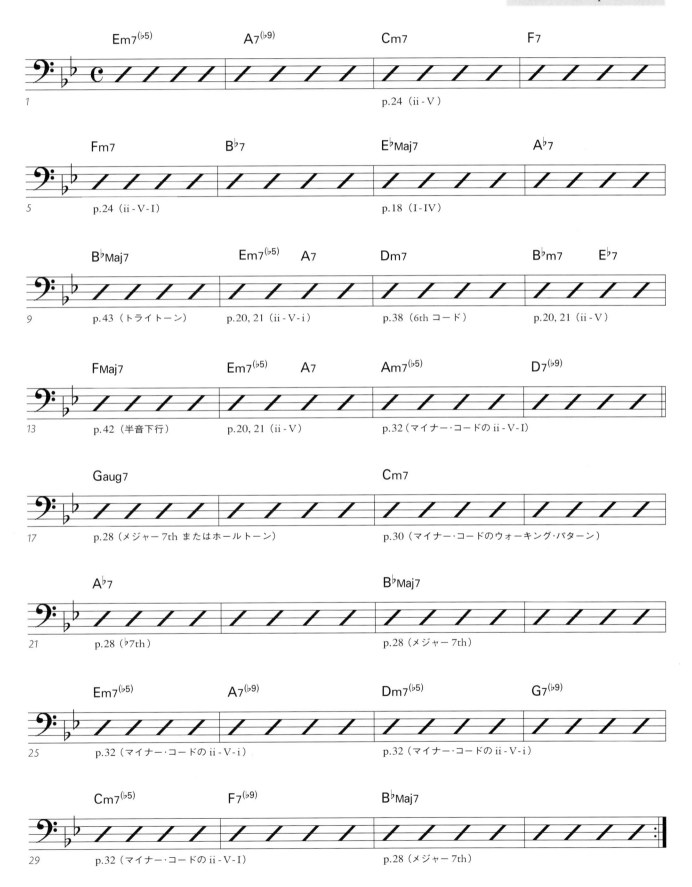

スタンダード No. 18
参考コード進行　*A Night In Tunisia*

 Track 26（右チャンネルのみ使用）

演奏例の楽譜は p.89 に掲載

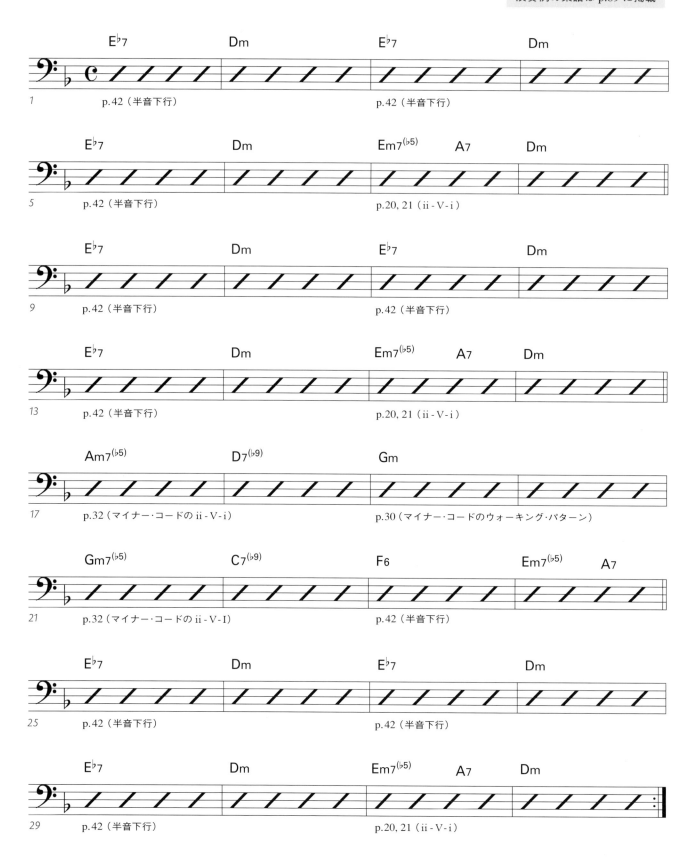

スタンダード No.19
参考コード進行 *Cherokee*

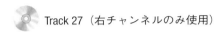 Track 27 （右チャンネルのみ使用）

演奏例の楽譜は p.90 に掲載

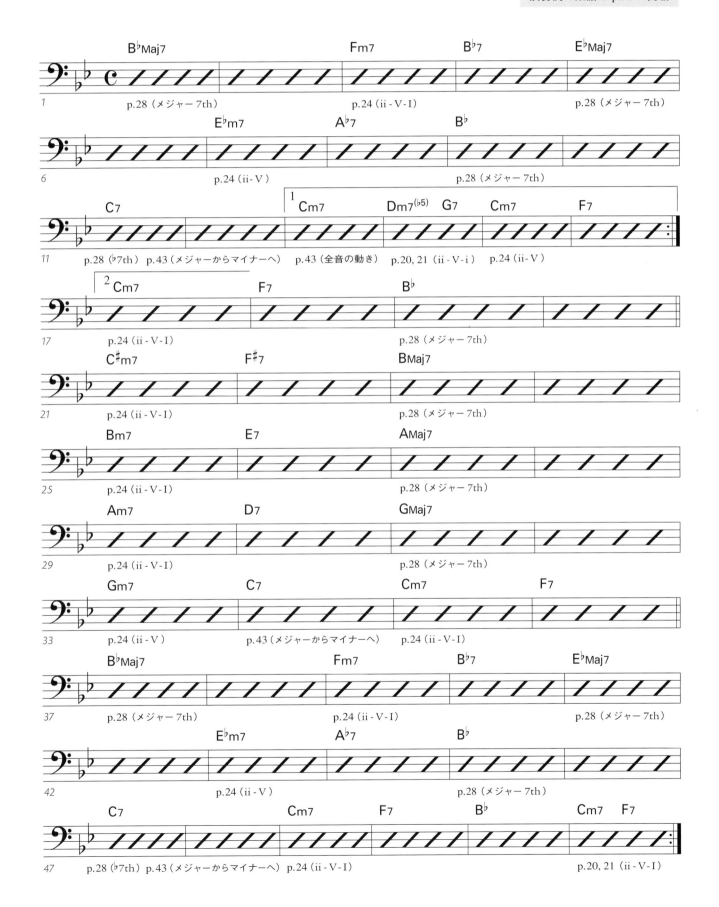

スタンダード No. 20
参考コード進行　*Giant Steps*

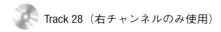 Track 28（右チャンネルのみ使用）

演奏例の楽譜は p.91 に掲載

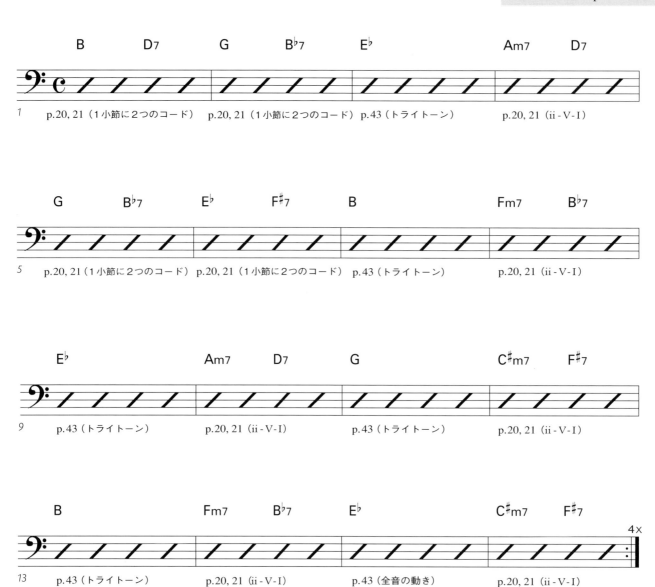

Part 3

Part 3 では、Part 2 と同じ 20 のスタンダード曲のコード進行に、演奏の一例となるベース・ラインが書かれています。読譜や音符の上にディグリーの数字を書き込む練習にも使いましょう。楽譜の上に示されたコード・シンボルに対応するディグリーを書きます。例えば、CMaj7 の場合は、C 音 = 1、D 音 = 2、E 音 = 3 となります。

多くのベース・パターンは、本書の中ですでに練習したものです。自分のアイディアと比べたり、新しいアイディアを得るために使いましょう。また、Part 2 に戻ってもう一度練習し直したり、パターンの確認のためにPart 1 を復習しましょう。

CD を聴くことによって、コード進行が徐々に理解しやすくなってきます。また、耳も発達し、ベース・ラインがどのように機能しているかを聴き分けられるようになります。CD の左チャンネルに収録されたベース・ラインの模範演奏をトランスクライブ（採譜）して イヤー・トレーニングも始めましょう。コード進行を覚えることも忘れないようにします。

p.99 で紹介しているベーシストをできるだけ多く聴きましょう。まず、自分が好きなベーシストを決めて、彼らのアイディアを学びます。気に入ったベーシストの音色があれば、できるだけ似たサウンドになるまで試してみましょう。また CD などからそのベーシストのベース・ラインをトランスクライブしましょう。たくさんトランスクライブすることで、徐々に早くベース・ラインを聴き分けられるようになります。

最初は、ラインが聴き取りやすい *Oscar Petiford* か *Ray Brown* から始めてみると、スタイルの違いもよくわかります。目標を決めて学習を進めましょう。トランスクライブすることを毎日の練習内容に加えます。練習の習慣は、自分自身の進歩が評価されることに直結します。

スタンダード No.1

参考コード 進行　*Take The A Train*

Track 9

スタンダード No. 2
参考コード 進行   So What

 Track 10

スタンダード No.3
参考コード 進行 *Autumn Leaves*

 Track 11

スタンダード No.4 （3/4 ブルース）
参考コード進行　*All Blues*

 Track 12

☆ 付属 CD では （ ） 内の８分音符も演奏している

スタンダード No.5 （ジャズ・ワルツ）

参考コード 進行 *Someday My Prince Will Come*

 Track 13

☆ オリジナルのコード進行は Cm7 だが、ここはピアノが C7 で演奏している

☆ 付属 CD では（ ）内の 8 分音符も演奏している

スタンダード No.6 （I-vi-ii-Vを使用）
参考コード進行 *Just The Way You Look Tonight*

 Track 14

スタンダード No.7

参考コード進行　*Autumn Leave*

 Track 15

スタンダード No.8
参考コード 進行 *All Of Me*

Track 16

スタンダード No.9
参考コード 進行　*Satin Doll*

 Track 17

スタンダード No.10
参考コード 進行 *How High The Moon / Ornithology*

 Track 18

スタンダード No.11
参考コード 進行 *Out Of Nowhere*

Track 19

☆ 付属 CD では（ ）内の 8 分音符も演奏している

☆ 付属 CD では（ ）内の 8 分音符も演奏している

スタンダード No.12
参考コード 進行 *Days Of Wine And Roses*

 Track 20

スタンダード No. 13
参考コード 進行　*All The Things You Are*

Track 21

スタンダード No.14
参考コード 進行 *Donna Lee / Indiana*

スタンダード No.15

参考コード進行　*There Will Never Be Another You*

 Track 23

☆ 付属 CD では（　）内の8分音符も演奏している

スタンダード No. 16
参考コード 進行　*What Is This Thing Called Love*

 Track 24

スタンダード No. 17

参考コード進行　*Stella By Starlight*

 Track 25

☆ 付属 CD の演奏では（　）内の8分音符も演奏している

スタンダード No.18
参考コード進行 *A Night In Tunisia*

Track 26

スタンダード No.19

参考コード進行 *Cherokee*

Track 27

スタンダード No.20
参考コード進行　*Giant Steps*

 Track 28

ブルースのバリエーション

（1）基本的なスリー・コード・ブルース

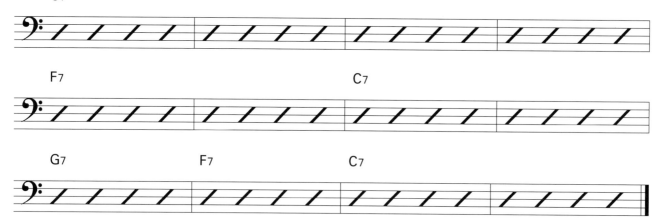

（2）2小節目にⅣコード、12小節目にⅤコードを加える

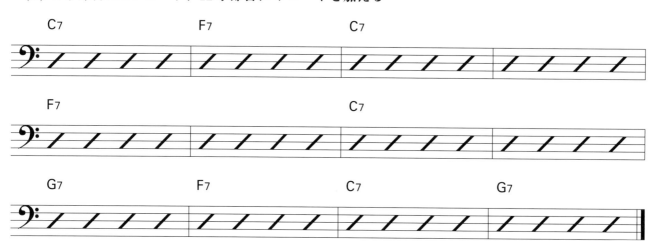

（3）ⅱ-Ⅴを加える

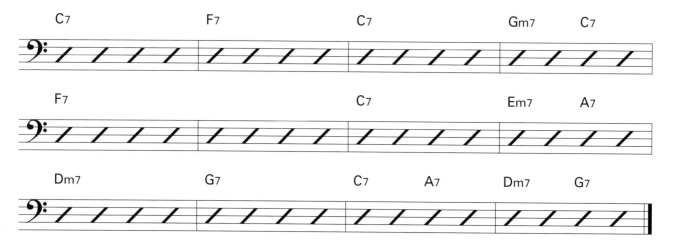

（4）Parker Blues：I Maj7 で始まる。ii - V の下行パターンを含む

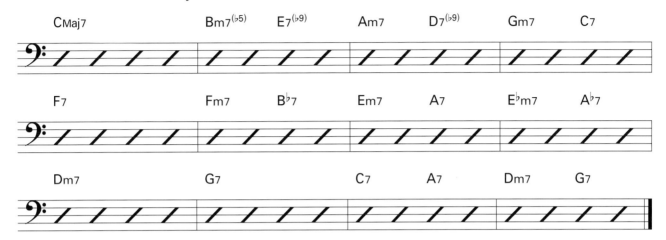

（5）Parker Blues のバリエーション：C♯ で始まり、5 小節目の F7 に向かって *サークル・オブ
5th で循環するパターン

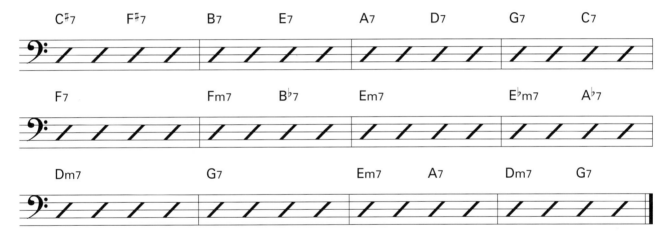

（6）マイナー・ブルース

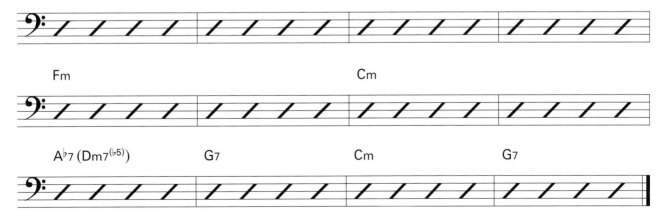

* circle of 5th／cycle of 5th：完全5度インターヴァルの動きを同じ方向（下行のみまたは上行のみ）でくり返し、12音（または12キー）すべてを網羅
して元の音（キー）へと戻る一連のサイクルのこと。実際の音楽では、例えばハーモニーが5度下行する動きを解決に利用することが多いため、ジャズの
練習においてもコード／スケールなどのルートを5度下行サイクルで練習することが効果的とされる。また、完全5度下行と完全4度上行は同音である
ため、circle of 4th という場合もある

リズム・チェンジのバリエーション

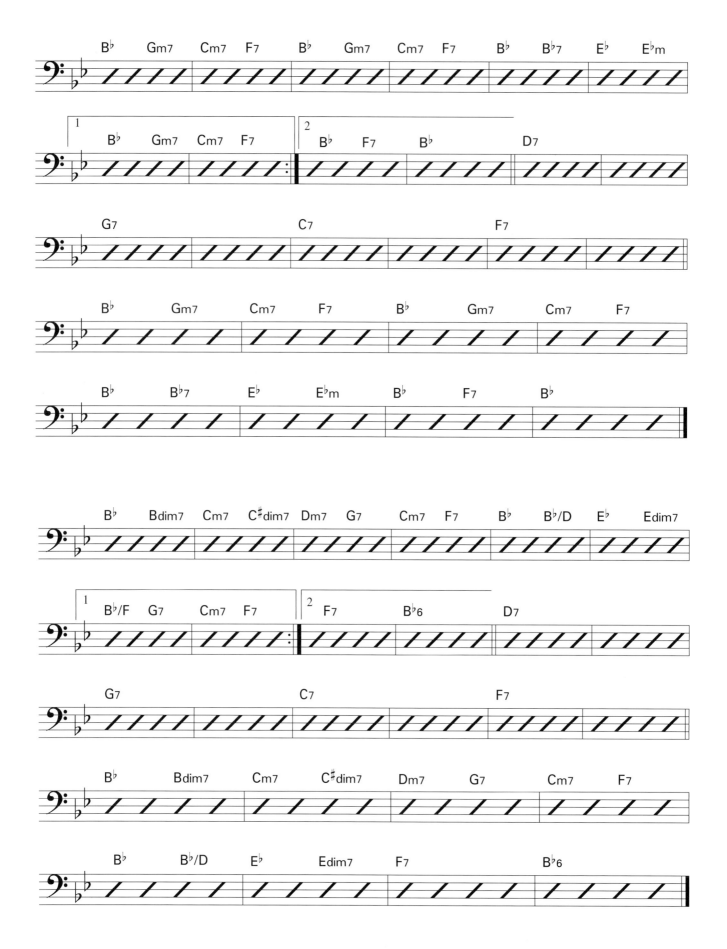

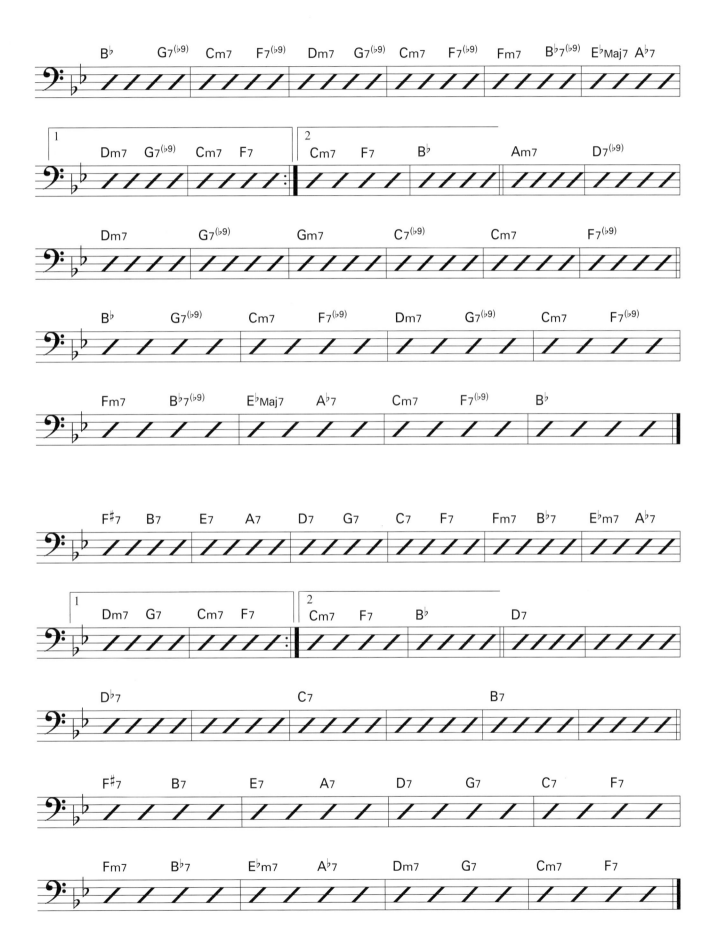

毎日の練習

Ｇメジャー・スケールに基づく２つのエクササイズです。Ｇメジャー・スケールは開放弦を使わないクローズ・ポジションを使うことができるので、エレクトリック・ベースの練習に適しています。楽譜の上段に示されたフィンガリングに注意しましょう。各エクササイズを覚えたら、A♭, A, B♭, B, C などのキーで演奏しましょう。少なくとも 20 分はウォームアップします。次ページには、さらに Ｇメジャー・スケールに基づいたアイディアがあります。覚えたら、12 のキーで練習しましょう。

スケール・フォーム・パターン

① Gメジャー・スケール

② ダイアトニック 3rd

③ ダイアトニック・トリプレット

④ ダイアトニック 7th コード

⑤ 3連符の練習

⑥ 3連符のバリエーション

⑦ 7th コードのバリエーション

⑧ ダイアトニック 4th

メジャー・スケール上のモード

　以下は、Cメジャー・スケールの7種類のモードです。これらのモードはCメジャー・スケールと共通する7音で構成されていますが、それぞれ異なる音から始まっています。モードにはそれぞれに特徴があり、インプロヴィゼイションやウォーキング・ベースに使われます。各モードを練習して、サウンドの特徴の違いを確認しましょう。
　モードを簡単に覚えるためには、ピアノの白鍵を実際に弾いて視覚的にとらえるとよいでしょう。モードを使って練習パターンを創り、書き出します。これを12のすべてのキーで練習しましょう。

推薦ベーシスト

■ニューオーリンズ
ポップス・フォスター
ジョン・リンゼイ
スティーブ・ブラウン
ビル・ジョンソン

■アーリー・スウィング
ミルト・ヒントン
ボブ・ハガート
ウォルター・ペイジ
ジョン・カービー
イスラエル・クロスビー
アーティ・バーンスタイン
ジョン・シモンズ

■デューク・エリントンのベーシスト
ウェルマン・ブロウ
ビリー・テイラー
ヘイズ・オルヴィス
ジミー・ブラントン
ジュニア・ラグリン
オスカー・ペティフォード

■スウィング～ビバップ
オスカー・ペティフォード
レイ・ブラウン
スラム・スチュワート
ジョージ・デュヴィヴィエ
レッド・カレンダー
カーリー・ラッセル
ネルソン・ボイド
トミー・ポッター

■ハード・バップ～クール・ジャズ
ポール・チェンバース
チャールズ・ミンガス
ウィルバー・ウェア
パーシー・ヒース
レッド・ミッチェル
モンティ・バドウィッグ
リロイ・ヴィネガー

■ポスト・バップ～フリー・ジャズ
スコット・ラファロ
サム・ジョーンズ
リチャード・デイヴィス
アート・デイヴィス
ジミー・ギャリソン
レジー・ワークマン
イスラエル・クロスビー
ゲイリー・ピーコック
チャーリー・ヘイデン

■モーダル・ジャズ
ロン・カーター
デイヴ・ホランド

■コンテンポラリー・ベーシスト
エディ・ゴメス
ニールス＝ヘニング・エルステッド・ペデルセン
スタンリー・クラーク
ジョージ・ムラーツ
マイケル・ムーア
レイ・ドラモンド
ジョン・ハード
レジー・ジョンソン
ボブ・マグナソン
ルーファス・リード
ジャコ・パストリアス
ジョン・クレイトン
ブライアン・ブロムバーグ
アヴィシャイ・コーエン
ジェイ・レオンハート
クリスチャン・マクブライド
ジョン・パティトゥッチ
トッド・クールマン
ヴィクター・ウッテン

推薦楽曲リスト

このリストは、現在もっともよく演奏される曲をまとめたものです。参照リストとして使いましょう。バンド・リーダーによっては、楽譜を見ながら演奏することを認めるかもしれませんが、暗譜にこだわるリーダーもいます。インターヴァル（スケール・ディグリー）を覚えるのと同じ方法でコードを覚えることで、コード進行の暗記がやさしくできます。またメロディを覚えると、曲のどこを演奏しているかを確認することができます。このリストを参考にレパートリーを増やしましょう。ベースを始めたばかりのプレイヤーの場合は、レコーディングに合わせて練習すれば、サウンドが助けてくれるでしょう。以下の曲名の後に付いている * 記号は、本書の練習で使用しているスタンダード曲のコード進行に類似している曲です。

■ジャズ・スタンダード

All Of Me *	In The Mood	Perdido
All The Things You Are *	Indiana *	The Preacher
Alone Together	Invitation	Route 66
Autumn Leaves *	It Had To Be You	St. Louis Blues
Autunm In New York	It Could Happen To You	Satin Doll *
Blue Skies	It Don't Mean A Thing	Scrapple From The Apple
Broadway	It's Alright With Me	Secret Love
But Not For Me	It's Only A Paper Moon	Sentimental Journey
Bye Bye Blackbird	I've Got The World On A String	September In The Rain
Caravan	Joy Spring	So What *
Cherokee *	Just Friends	Softly As In A Morning Sunrise
C-Jam Blues	Just In Time	Speak Low
Days Of Wine And Roses *	Just One Of Those Things	Star Eyes
Donna Lee *	Lady Be Good	Stella By Starlight *
Don't Get Around Much Anymore	The Lady Is A Tramp	Stolen Moments
East Of The Sun	Like Someone In Love	Stompin At The Savoy
The End Of A Love Affair	L.O.V.E.	Stormy Weather
Falling In Love With Love	Love For Sale	Straight, No Chaser
Fly Me To The Moon	Love Walked In	S' Wonderful
A Foggy Day	Lullaby Of Birdland	Sweet Georgia Brown
Four	Makin' Whoopee	Take Five
Giant Steps *	Moonglow	Take The A Train *
Gone With The Wind	My Romance	Tangerine
Groovin' High	My Secret Love	Taking A Chance On Love
Have You Met Miss Jones	My Shining Hour	There Is No Greater Love
Honeysuckle Rose	Night And Day *	There'll Never Be Another You *
How High The Moon *	A Night In Tunisia *	Undecided
I Get A Kick Out Of You	Oleo（リズム・チェンジ）	The Way You Look Tonight *
I Got Rhythm	On Green Dolphin Street	What Is This Thing Called Love *
I Love You	On The Sunny Side Of The Street	Where Or When
I Remember You	Ornithology *	Yardbird Suite
I'll Remember April	Our Love Is Here To Stay	Yesterdays
I'm Getting Sentimental Over You	Out Of Nowhere *	You Stepped Out Of A Dream
In A Mellow Tone	Pennies From Heaven	You Took Advantage Of Me

■バラード

As Time Goes By
Bewitched
Body & Soul
But Beautiful
Come Rain Or Come Shine
Darn That Dream
Don't Blame Me
Dream
Embraceable You
Everything Happens To Me
Ghost Of A Chance
Here's That Rainy Day
How Deep Is The Ocean
I Can't Get Started
I Got It Bad
I Thought About You
In a Sentimental Mood
Laura
Lover Man
Lush Life
Misty
Mood Indigo
Moonlight In Vermont
The More I See You
My Foolish Heart
My Funny Valentine
The Nearness Of You
Once In A While
Over The Rainbow
Polka Dots And Moonbeams
Prelude To A Kiss
Round Midnight
Since I Fell For You
Skylark
Smoke Gets In Your Eyes
Someone To Watch Over Me
Sophisticated Lady
Summertime
Teach Me Tonight
Tenderly
That's All
A Time For Love
Two For The Road
The Very Thought Of You

What's New
When I Fall In Love
When Sunny Gets Blue
Yesterdays

■ラテン

Black Orpheus
Blue Bossa
Ceora
Desafinado
Gentle Rain
The Girl From Impanema
How Insensitive
Meditation
Once I Loved
One Note Samba
Quiet Nights
The Shadow Of Your Smile
So Many Stars
Song For My Father
Spain
St. Thomas
Triste
Watch What Happens
Wave

■3/4（ワルツ）

All Blues *
Always
Bluesette
A Child Is Born
Emily
Footprints
Gravy Waltz
Moon River
My Favorite Things
Someday My Prince Will Come *
Tenderly
Up Jumped Spring

ジム・スナイデロ

ジャズ・コンセプション・シリーズ

各エチュードごとに「学習のポイント」と「演奏のコツ」など、具体的な解説を掲載。楽譜内にもフレーズの解説が掲載。

付属CDを聴き込み、模範演奏をまねて演奏する／マイナスワン・トラックに合わせて楽譜を見ながら演奏する／自身でオリジナルのソロ・フレーズを創る／楽譜を使って読譜練習をする／CDから採譜してイヤートレーニングをするなど、アイディア次第でさまざまな使用法が可能。

付属CDにはニューヨークの一流ミュージシャンが演奏。他にはない "本物" のジャズを体験！

スタンダード曲やブルースなどの定番曲のコード進行とプレイアロング（模範演奏 & マイナス・ワン）CDで学ぶ
楽器別／レベル別練習曲シリーズ

初級編	中級編	上級編
楽器もジャズもイチからやりたい はじめてのジャズ・エチュード	楽器は演奏できるのにジャズらしくならない 中級者へのステップアップ	王道のエチュード & マイナスワン シリーズ上級編

はじめてのジャズ・エチュード
イージー・
ジャズ・コンセプション
ベース・ライン

ソロイスト：Paul Gill

エチュード：全15曲掲載

定価：本体 3,000 円 + 税

インターミディエイト・
ジャズ・コンセプション
ベース・ライン

ソロイスト：Paul Gill

エチュード：全15曲掲載

定価：本体 3,300 円 + 税

本格的ジャズ・エチュードの定番
ジャズ・コンセプション
ベース・ライン

ソロイスト：Dennis Irwin

エチュード：全21曲掲載

定価：本体 3,500 円 + 税

初めてウォーキング・ベースを弾くために

ジャズ・ライン演奏の基礎を創る **ウォーキング・ベース**

著者：Ed Fuqua（エド・フークア）　定価：本体 3,200 円 + 税

▼ おすすめポイント

- セクション 1 では必要な知識やテクニックを紹介
- セクション 2 では楽譜と付属 CD による実践敵な学習
- ブルースや有名スタンダードのコード・チェンジを使った模範演奏

ロン・カーター ビルディング・ジャズ・ベース・ライン

著者：Ron Carter（ロン・カーター）　定価：本体 2,800 円 + 税

▼ おすすめポイント

- ジャズの基本、ブルースを題材にしたベース・ラインの創り方
- ロン・カーターのオリジナル曲を掲載
- 付属 CD にはロン・カーター本人により演奏を収録

ジャズベースの基本、ウォーキング・ベースを学ぶ

ビルディング・ウォーキング・ベース・ラインズ

著者：Ed Friedland（エド・フリードランド）　定価：本体 2,800 円 + 税

▼ おすすめポイント

- ルートのみを使い二分音符で始める初心者にもやさしいウォーキング
- パート 2 ではスケールワイズ・モーションを使ってより機能的なライン
- 最後はジャズ・スタンダード進行上でオリジナルのライン創りに挑戦

エクスパンディング ウォーキング・ベース・ラインズ

著者：Ed Friedland（エド・フリードランド）　定価：本体 2,800 円 + 税

▼ おすすめポイント

- ウォーキング・ベースをさらにステップアップ
- リズムに関するアイディアやトーナリティーの拡張について説明
- 理想のウォーキング・ベースにならない中級者以上におすすめ

アコースティックとエレクトリックの両方で使用可能

ジャズ・ベース アイム・ウォーキング

著者：Jacki Reznicek（ジャッキー・レズニチェク）　定価：本体 4,500 円 + 税

▼ おすすめポイント

- ブルースからリズムチェンジまでコード進行に対応する解説
- エレクトリック・ベース奏者にも分かりやすいタブ譜つき
- 解説写真にはアコースティックとエレクトリックを掲載

ベーシストのための究極の大辞典

ベーシスト事典 **ベース・バイブル**

著者：Paul Westwood（ポール・ウエストウッド）　定価：本体 4,800 円 + 税

▼ おすすめポイント

- ロック、ブルース、ソウル、ファンク、ラテン、アフリカンなどの 1000 を超えるさまざまなショート・フレーズを掲載
- ラテン・アメリカンやアフリカのリズム考察は全楽器プレイヤー必読

リズム・セクションの役割と効果的な奏法を学ぶ
ビッグバンド・マスター　ベース

著者：Jeff Campbell（ジェフ・キャンベル）
定価：本体 3,500 円 + 税

ビッグバンドならではのベース・スタイルと奏法を学ぶ

ビッグバンドでのリズム・セクションの演奏は、大編成の音を支えるという点において、特殊な役割や奏法が必要となります。

ビッグバンドの一般的なベース・チャートやアレンジメントを解釈／演奏するための実践的な方法、およびリズム・セクションをしっかりと支えるための基本的なスキルを紹介。ジャズおよびビッグバンドでプレイする知識を一通り解説した後、実際のビッグバンド（付属CD）と一緒にエチュード形式の練習を行います。掲載楽譜は基本的に付属CDのレコーディングで用いたビッグバンド・ベース譜ですが、学習目的の解説や部分的なトランスクリプションも掲載。曲のリズム・スタイルもさまざまな種類が登場します。

監修者プロフィール

石川 具幸 （Ishikawa Tomoyuki）
セッションベーシスト

日本大学芸術学部卒業後、ULTRA POP でメジャーデビュー。1995 年解散後、本格的にセッションプレイヤー、サポートミュージシャンとして活動を始める。関わった主なアーティストは、Chara、上田現、元ちとせ、ゆず、柴田淳、SOULHEAD、ALvino など。現在はセッションベーシストと並行して、尚美ミュージックカレッジで講師としても後進の育成に精力的に活動中。

ご注文・お問い合わせは

 ホームページ　**https://www.atn-inc.jp**

 お電話
10:00〜18:00
（土・日・祝日は除く）　**03-6908-3692**

 メール　**info@atn-inc.co.jp**

ATN, inc.

定番のコード進行で弾く
最新版
ウォーキング・ジャズライン・ベース

発　行　日　2002年 9月20日（初版）
　　　　　　2021年10月25日（第3版1刷）
著　　　者　Jay Hungerford（ジェイ・ハンガーフォード）
翻　　　訳　蔦田憲二
監　　　修　石川 具幸
楽譜校正　富山 渡
発行・発売　株式会社 エー・ティー・エヌ
　　　　　　© 2002, 2017, 2021 by ATN,inc.
住　　　所　〒161-0033
　　　　　　東京都新宿区下落合 3-12-21 目白エミネンス102
　　　　　　TEL 03-6908-3692　FAX 03-6908-3694
ホームページ　https://www.atn-inc.jp

3529-1(7)

*万一、乱丁・落丁がありました時は、当社にてお取り換えいたします。© 無断複製・転載を禁じます。

ISBN978-4-7549-3529-0